JORGE GONZÁLEZ
Chère Patagonie

AIRE LIBRE

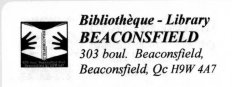

À mon fils, Mateo

1
Vent et brebis

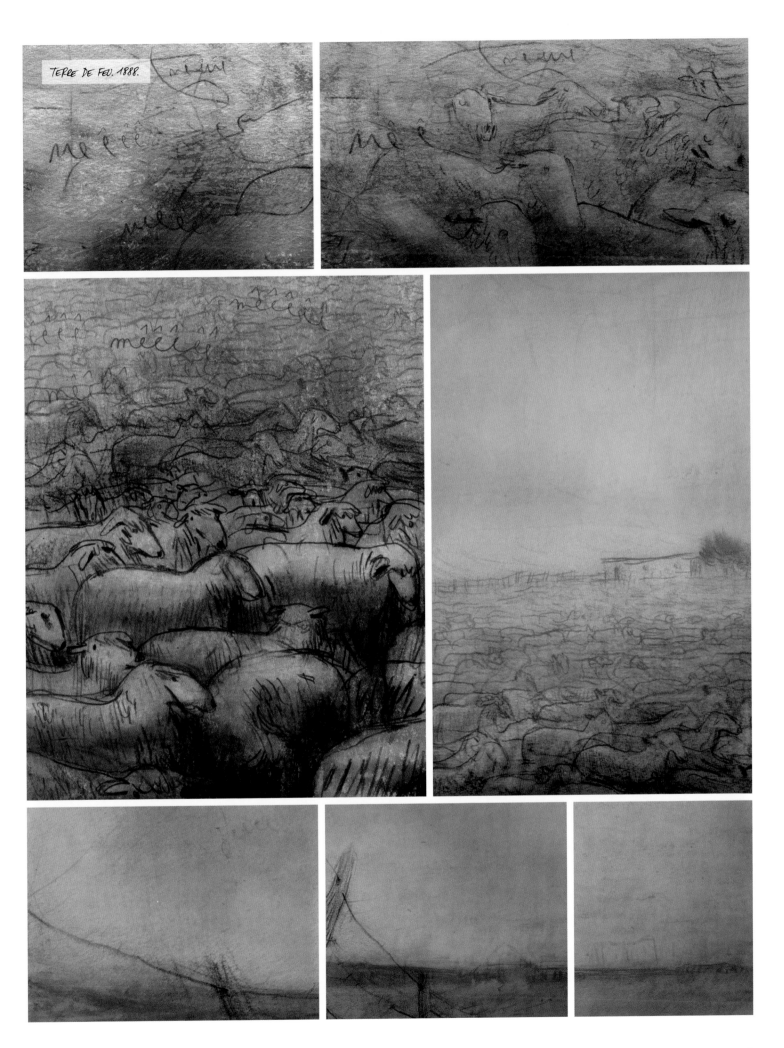

TERRE DE FEU. 1888.

15

16

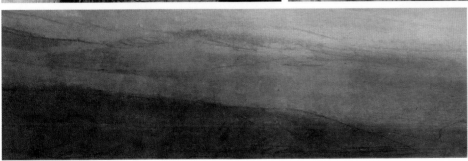

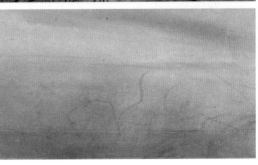

17

* CHANSON ONA : VA-T'EN, ALLEZ, VA-T'EN... NEIGE, RENTRE CHEZ TOI... LIEU MYTHIQUE DANS LE CIEL DU NORD... POURQUOI ES-TU ICI... NEIGE OU PLUIE...

22

2
Un magasin à Facundo

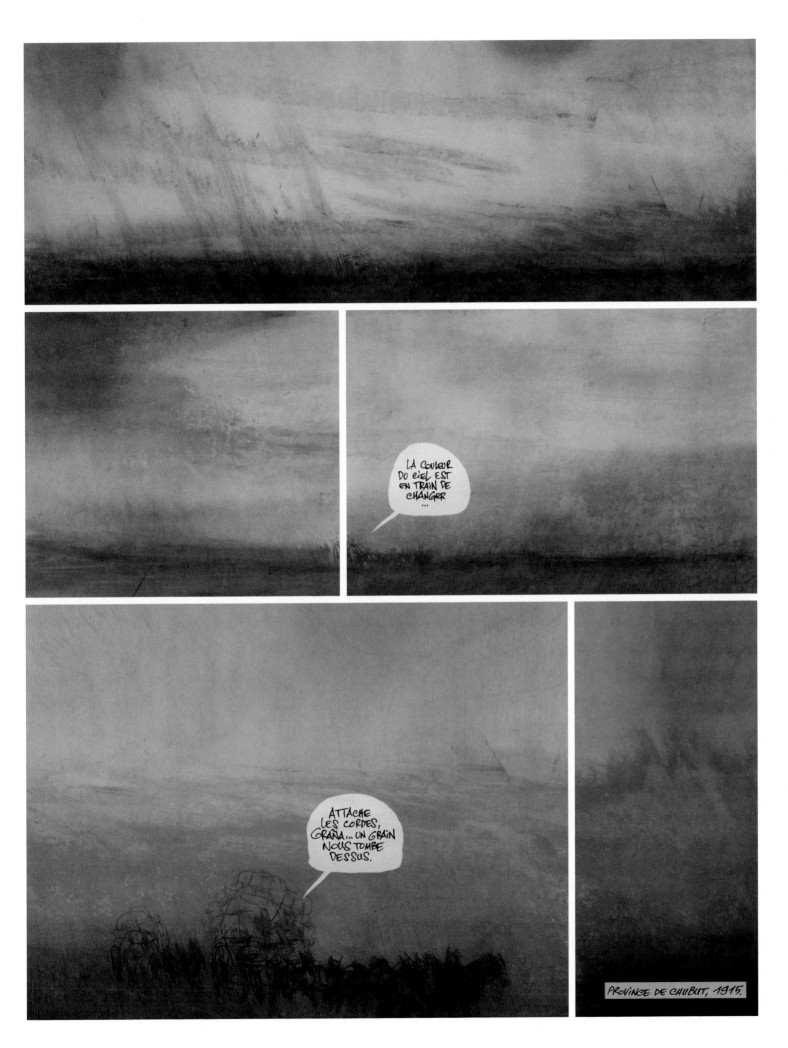

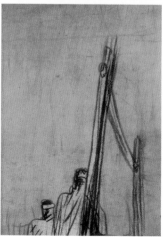

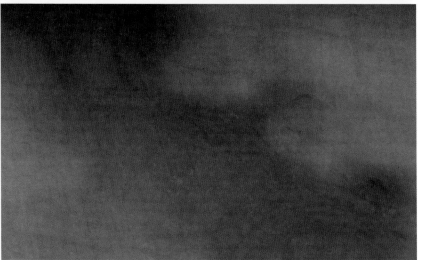

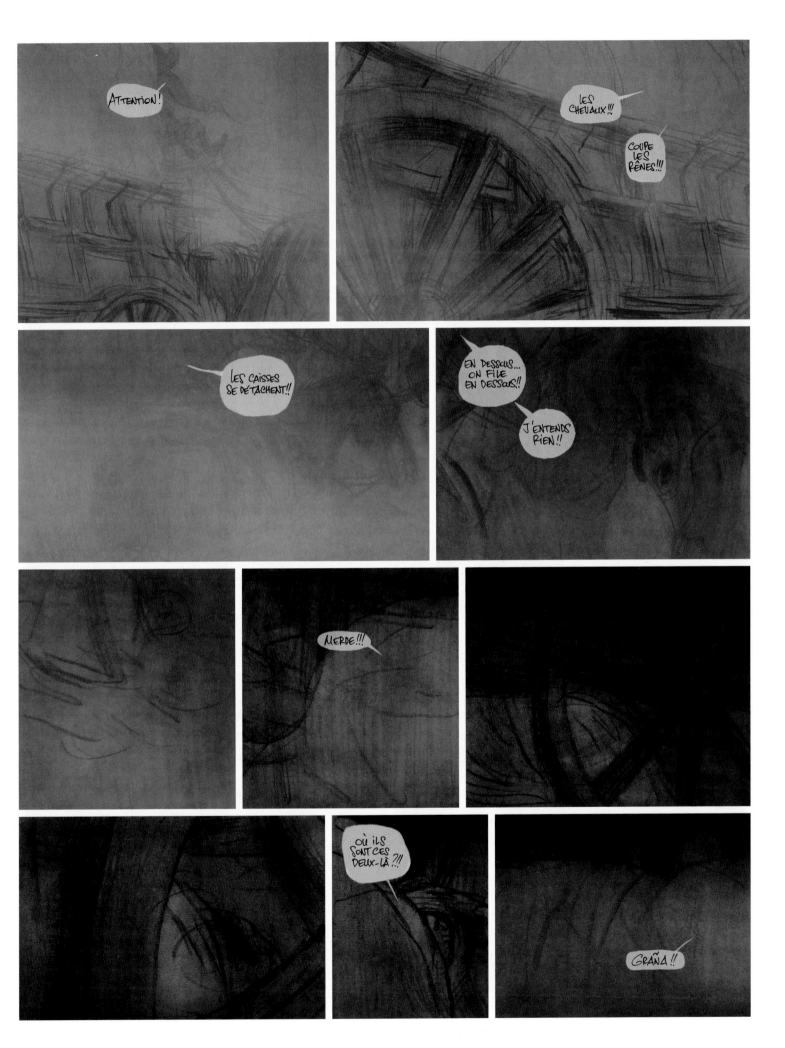

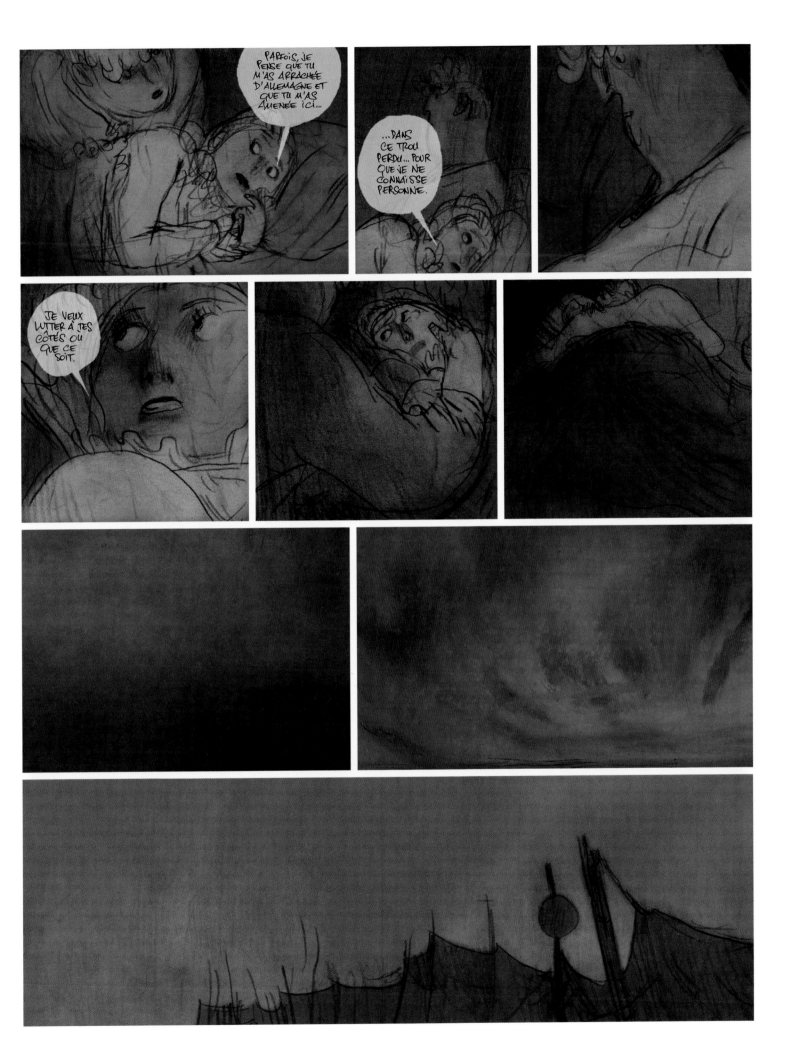

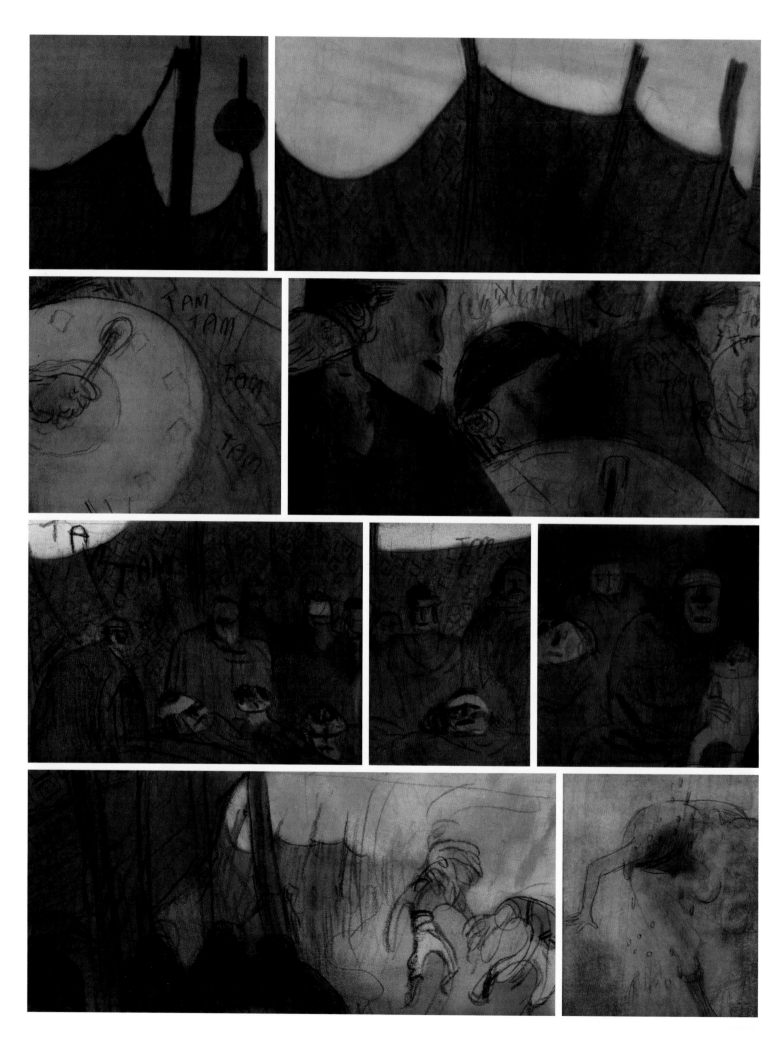

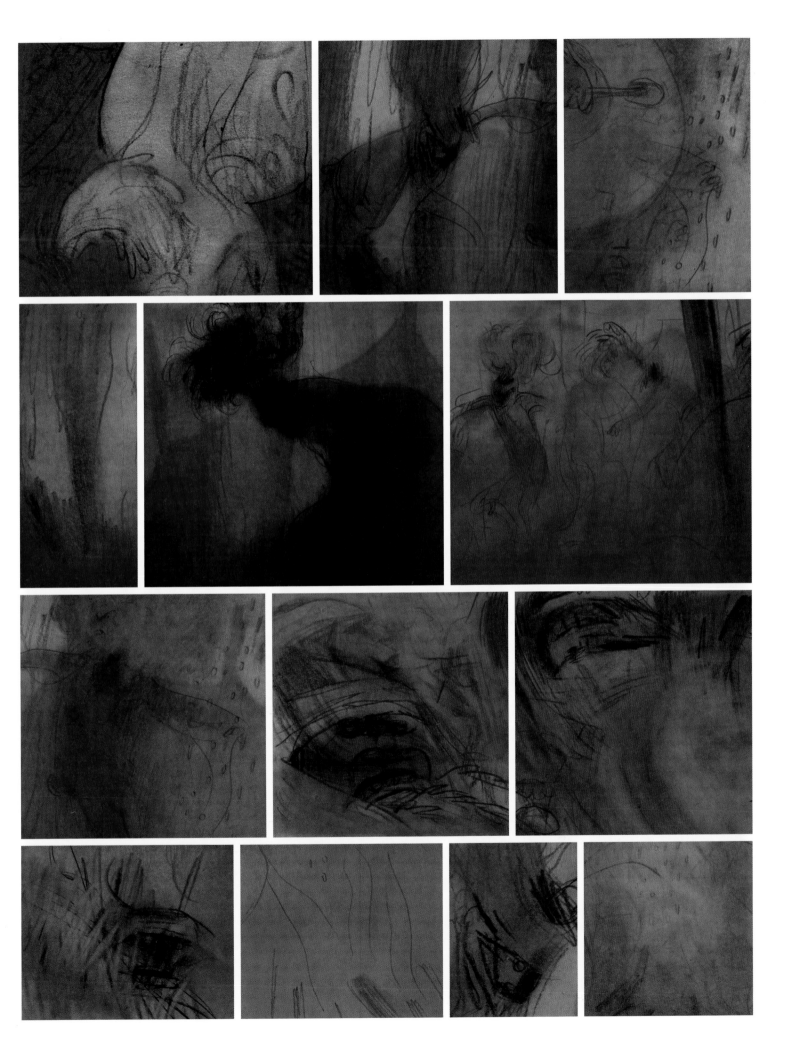

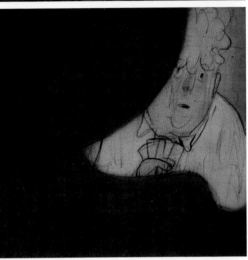

40

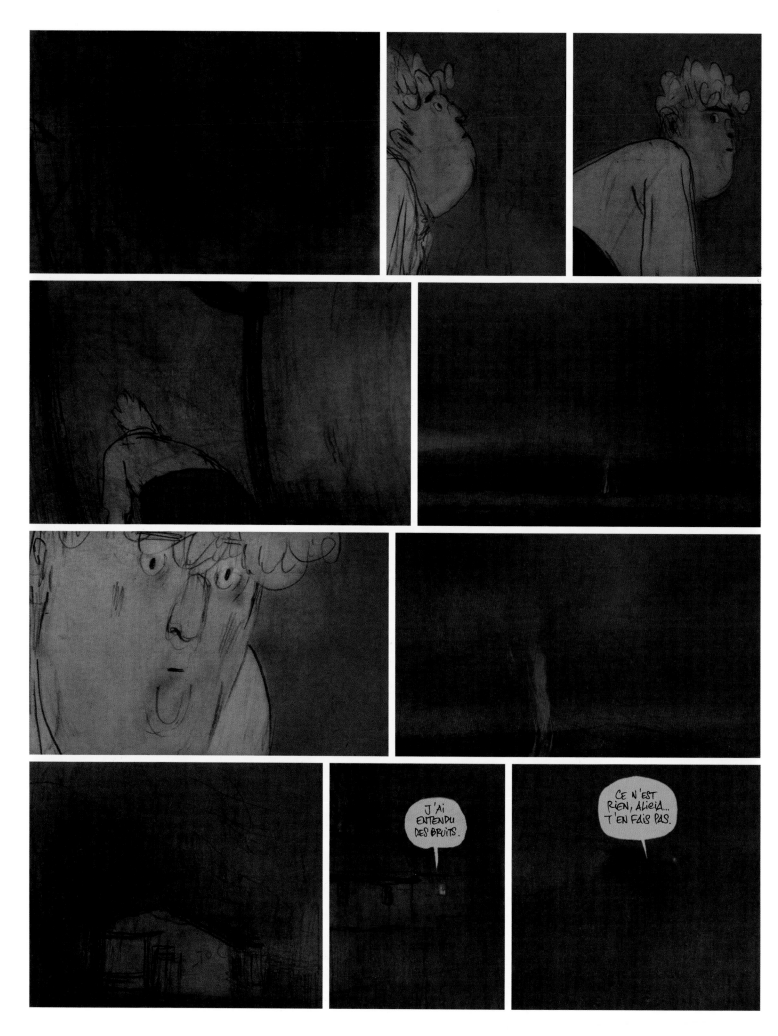

SALUT, KARL! BONJOUR.

SALUT.

JE T'APPORTE UN PEU DE TOUT. BOISSON, CIGARETTES, BOTTES, TOUT ÇA.

ÇA M'INTÉRESSE SI C'EST À BON PRIX.

NE VOUS INQUIÉTEZ PAS, JE SUIS SÛR QUE NOUS TROUVERONS UN ARRANGEMENT... SURTOUT AVEC VOTRE ÉPOUSE QUI EST SI BELLE...

...JE NE PEUX QUE NÉGOCIER EN SA FAVEUR.

EXCUSEZ-MOI, HAHA... NOUS AVONS PASSÉ PLUSIEURS MOIS SANS VOIR DE FEMMES.

JE VAIS CHERCHER LA MARCHANDISE.

TU ES SÛRE QUE CE SERA MON FILS?

SI TU OSES ME POSER ENCORE UNE FOIS CETTE QUESTION, JE BRÛLE LE MAGASIN ET JE RENTRE EN ALLEMAGNE.

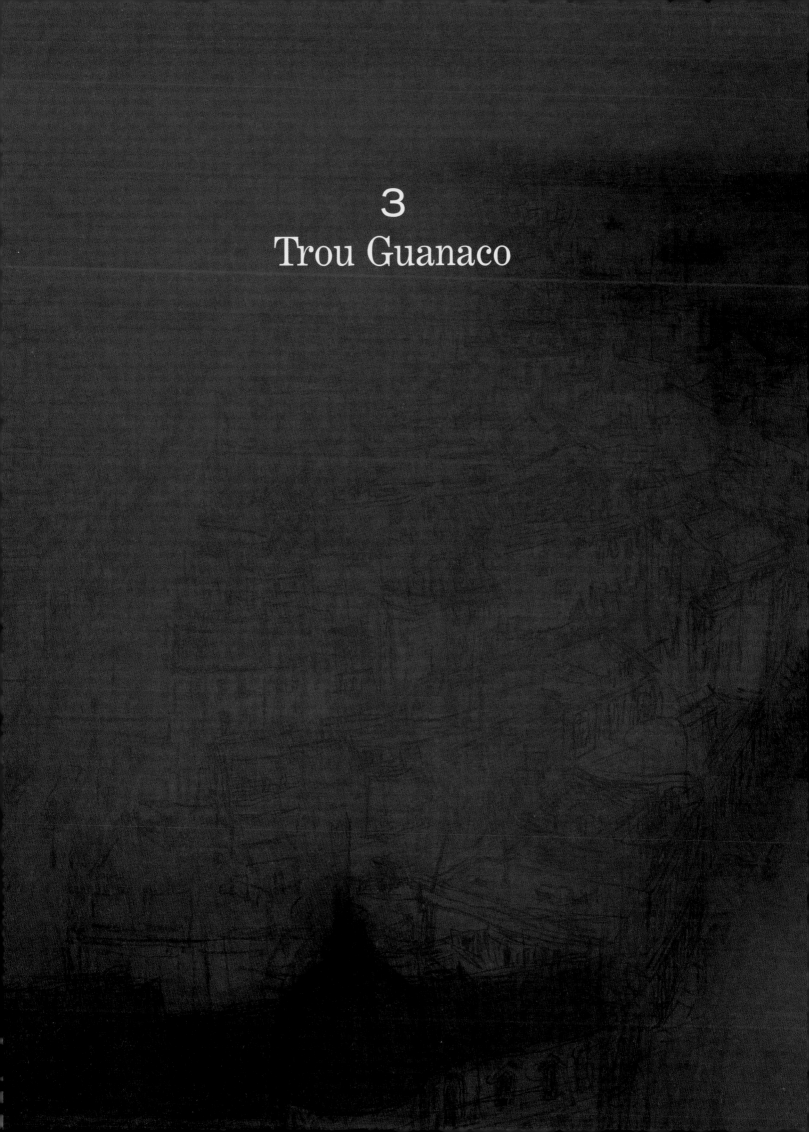

3
Trou Guanaco

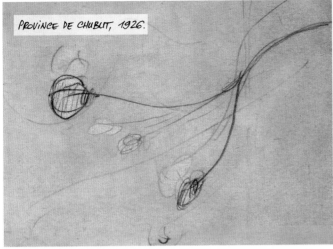

PROVINCE DE CHUBUT, 1926.

ON UTILISE SEULEMENT LE POUCE ET ON APPUIE FORT ICI. COMME ÇA... COMME ÇA, LA DOULEUR PASSE...

DITES À VOTRE MÈRE DE ME FAIRE UN NOUVEAU QUILLANGO. LE FROID VA ARRIVER ET JE VAIS EN AVOIR BESOIN.

VOUS NE SAVEZ PAS LES FAIRE?

DES FOIS JE L'AIDE.

BON, VOUS VERREZ COMME ELLE VOUS LAISSERA FAIRE.

ALLEZ, FILEZ, L'HEURE DU SOUPER APPROCHE, ET VOTRE MÈRE DOIT VOUS ATTENDRE.

À DEMAIN, GRAND-PÈRE.

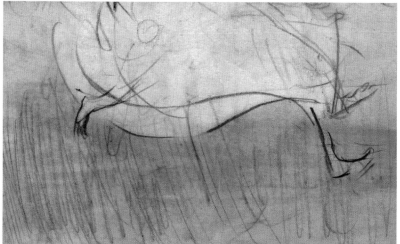

EH... OUI... JE SUIS REVENU... ON N'A RIEN PU FAIRE...

... LE PELOTON POUR LES PAYSANS ET LES OUVRIERS EN GRÈVE, C'ÉTAIT VRAI... EN UNE JOURNÉE ET AVEC L'APPUI DU GOUVERNEMENT... SANS PROCÈS NI JUGEMENT...

POURQUOI QUE JE RISQUERAIS MA VIE...? J'AVAIS PAS AUTANT DE COUILLES QUE BEAUCOUP D'ANARCHISTES QUI SE SONT BATTUS JUSQU'À LA FIN...

J'AI BIEN FAIT DE M'ÉCHAPPER. SINON JE S'RAIS UN AUT' FUSILLÉ DE PLUS. ILS EN ONT BUTÉ DES MILLIERS, CES FILS DE PUTE... YRIGOYEN, VARELA, DES FILS DE CHIEN...

J'AI TOUT VU DE PRÈS ET J'L'AI SENTI D'ENCORE PLUS PRÈS. JE ME SUIS CACHÉ TROIS JOURS DERRIÈRE UNE TONNE DE MERDE DE CHEVAL, AVEC UN AMI CHILIEN...

JE M'SUIS CHIÉ, JE M'SUIS PISSÉ DESSUS, J'AI PAS MANGÉ, MAIS AU MOINS, JE SUIS PAS MORT MOI. ON POUVAIT MÊME PAS SE R'GARDER AVEC LE CHILIEN ET DE ÇA QUE J'L'AVAIS JUSTE À CÔTÉ DE MOI.

... QUAND TOUT A ÉTÉ TRANQUILLE, J'AI COMMENCÉ À MARCHER DOUCEMENT ET JE M'SUIS PERDU. LE CHILIEN EST RESTÉ, J'LUI AI MÊME PAS DIT AU REVOIR DE LA TROUILLE QUE J'AVAIS.

J'SUPPOSE QU'IL SE SERA BARRÉ APRÈS.

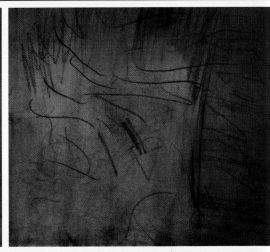

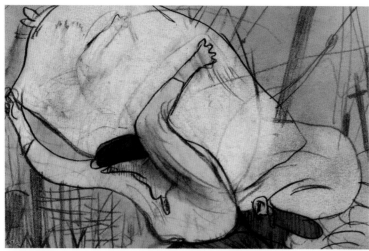

4
1 - Le silence ne menace plus

BUENOS AIRES, 1939.

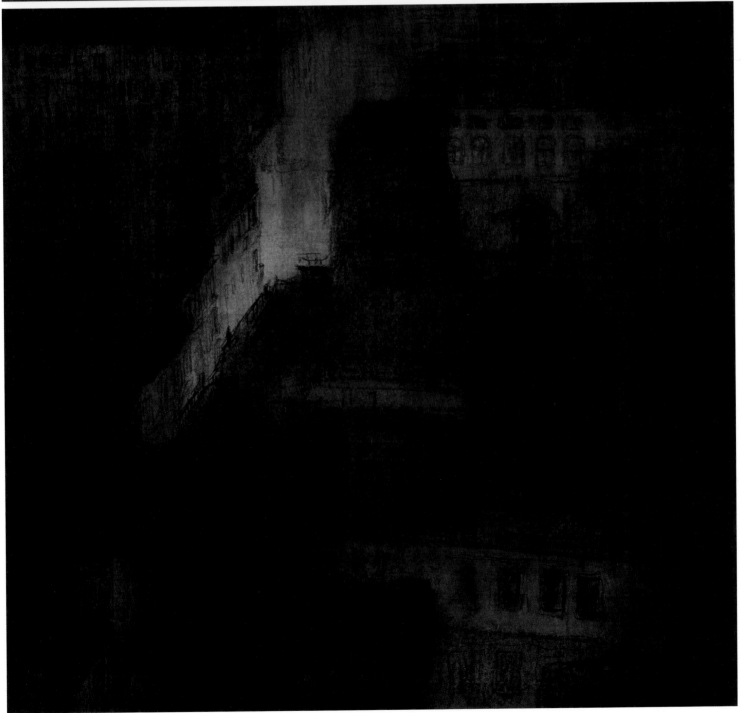

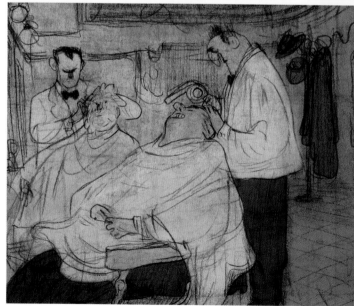

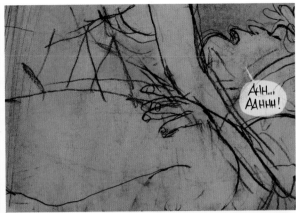

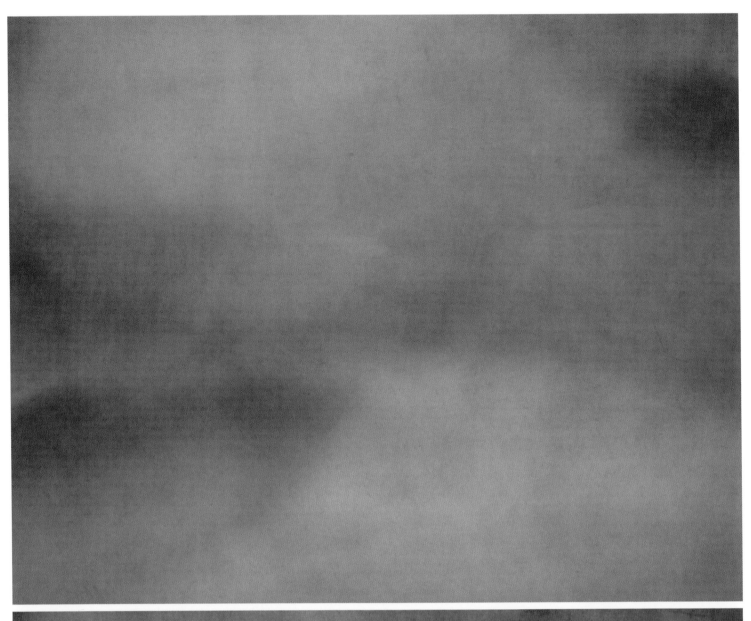

5
2 - Le silence ne menace plus

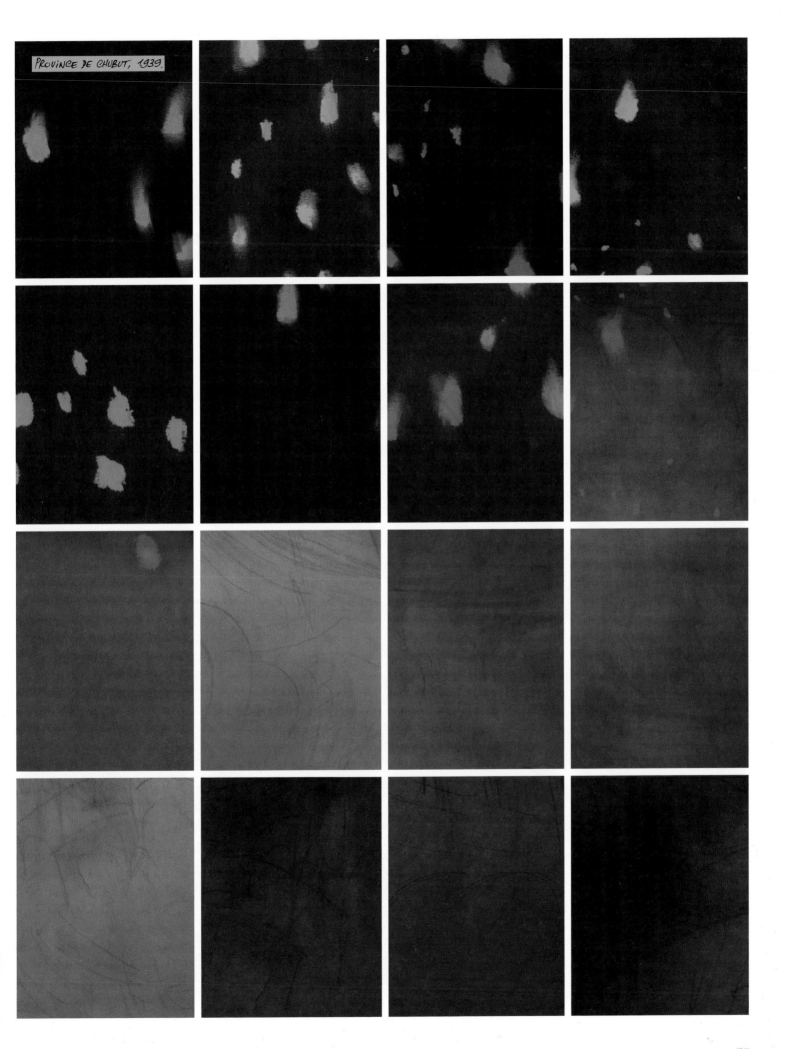

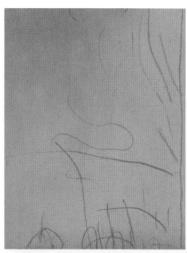

BONSOIR.

UN WHISKY?

...DU BON, DE L'ÉCOSSAIS, DE CHEZ MOI, PAS LA COCHON- NERIE QU'ILS VENDENT PAR ICI.

JE VOUS REMERCIE.

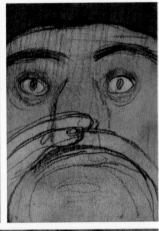

AIMERIEZ- VOUS RENAÎTRE?

BON, WHISKY.

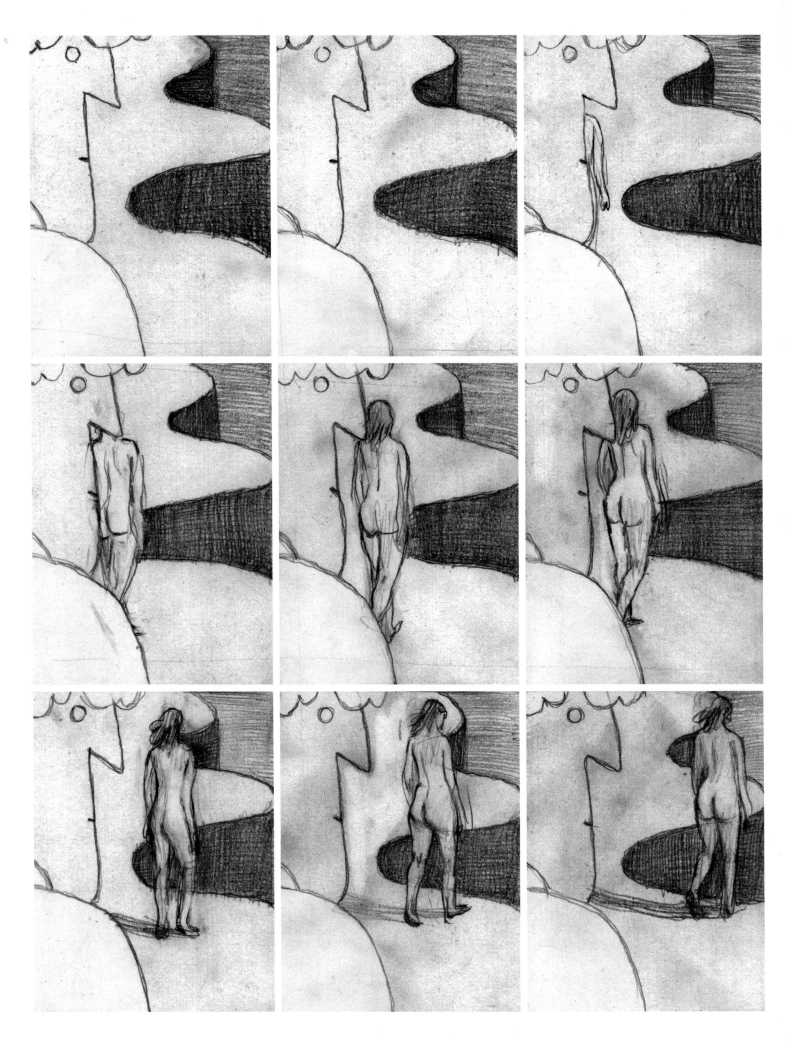

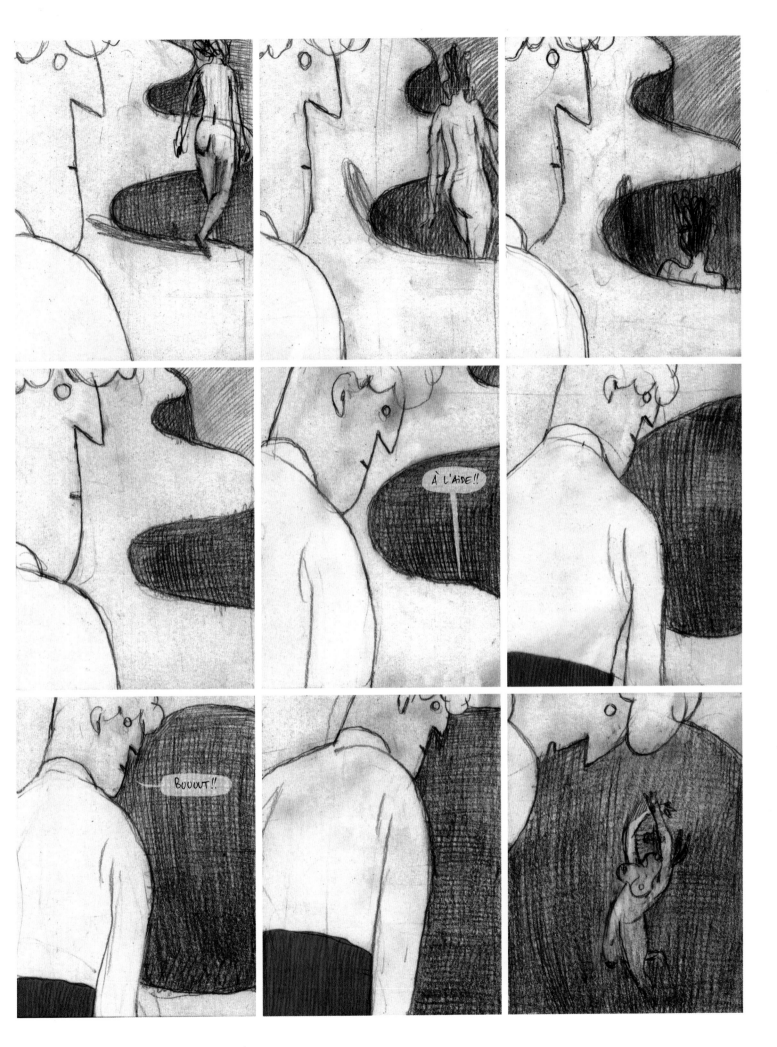

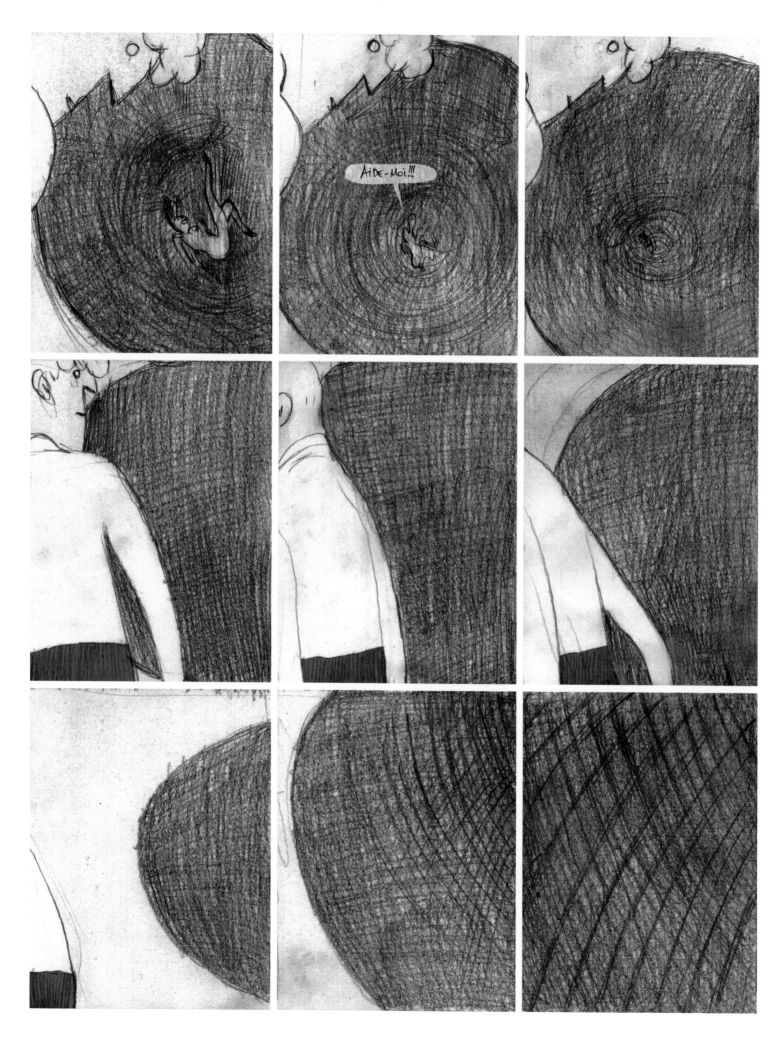

98

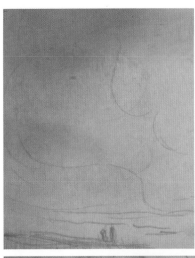

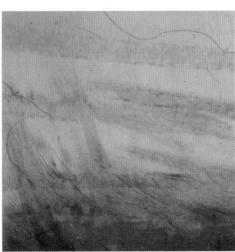

J'AI TRÈS ENVIE DE FILMER.

AH OUI?... OÙ AVEZ-VOUS APPRIS?

J'AI AIDÉ QUELQUES FOIS UN RÉALISATEUR EN ALLEMAGNE ET J'AI APPRIS QUELQUES TRUCS.

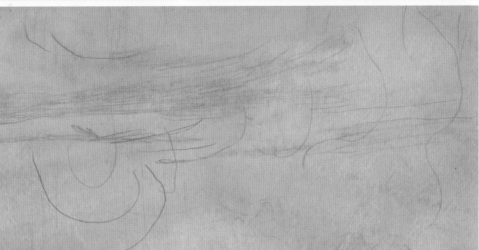

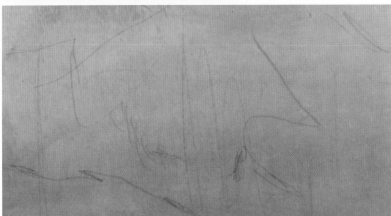

AUJOURD'HUI ÇA VA ÊTRE DIFFICILE... TROP DE VENT...

TU REGARDES LÀ...
ET TU CHERCHES
LE PLAN...

ET ILS TE
LAISSENT LES
FILMER ?

OUI, J'AI
FAIT UN
MARCHÉ AVEC
MANIQUEQUE
...

...ILS ME
LAISSENT FAIRE
EN ÉCHANGE
D'UN BON
GENIÈVRE.

ET
POURQUOI
EUX ?

JE NE SAIS PAS...
ILS NE SONT PAS
COMME TOI OU MOI...
OU COMME TES
PARENTS...

...ILS
SEMBLENT
VRAIS.

À MOI,
ILS M'ONT
TOUJOURS SEM-
BLÉ ÊTRE DES
GENS QUI NE
DÉRANGENT
PERSONNE.

HOTEL SUR

JE N'AI JAMAIS SU QUI AVAIT PEINT CE TABLEAU. JE L'AI TROUVÉ UN JOUR DANS L'HERBE, PRÈS DE MON ESTANCIA, ET DEPUIS CE JOUR-LÀ, IL M'ACCOMPAGNE...

...JE PENSAIS QUE TOUT CE QUE JE FAISAIS LÀ-BAS C'ÉTAIT GAGNER DE L'ARGENT AVEC DES BREBIS ET TUER DES INDIENS...

EN RÉALITÉ, JE CROIS QUE JE FABRIQUAIS DES FANTÔMES...

...UN JOUR J'AI TOUT VENDU ET J'AI QUITTÉ L'ÎLE...

...JE SUIS ALLÉ D'UN BORD À L'AUTRE, TOUJOURS EN SUIVANT LE NORD EN CHERCHANT CE QU'IL POUVAIT Y AVOIR DERRIÈRE LA COLLINE OU LA MONTAGNE SUIVANTE...

...TOUT S'EST ÉVANOUI PETIT À PETIT ET, APRÈS PAS MAL DE TEMPS, JE SUIS ARRIVÉ DANS CE VILLAGE EMPLI DE RIEN... ET C'EST ICI QUE JE VEUX MOURIR.

CE TABLEAU ME RAPPELLE MES ANNÉES EN TERRE DE FEU... MES FAIBLESSES ET, DANS LE FOND, MA RAISON D'ÊTRE...

ET CES FANTÔMES DONT VOUS PARLIEZ?

DU VIDE, JE PRÉFÈRE LES TRAÎNER OÙ QUE J'AILLE. JE NE SUIS PAS DU GENRE À ME LAMENTER, JE COMPRENDS QU'IL EST IMPOSSIBLE D'ÊTRE UN AUTRE.

MAIS... N'ÉCOUTE PAS CE QUE JE DIS... JE NE SUIS QU'UN VIEIL HOMME FATIGUÉ QUI AIME MALGRÉ TOUT CHAQUE SECONDE DE LA VIE QU'IL A VÉCUE...

ON DIRAIT QUE NOUS PARTAGEONS CE VIDE... MÊME SI LE MIEN SEMBLE VOULOIR RÉAPPARAÎTRE DERNIÈREMENT.

VOUS SAVEZ CE QUI EST EN TRAIN DE SE PASSER EN EUROPE ACTUELLEMENT?

CERTAINES NOUVELLES ME SONT PARVENUES. UNE NOUVELLE GUERRE A ÉCLATÉ, NON?

ÇA FAIT LONGTEMPS QUE CELA SEMBLAIT INÉVITABLE

ALORS VOUS EN AVEZ RÉCHAPPÉ... VOUS ÊTES VENU JUSTE À TEMPS.

ROTH EST AU COURANT?

UN PEU...

PLUS DE WHISKY?

ROTH! VENEZ AVEC MOI... J'AI UNE SURPRISE POUR VOUS!

C'EST QUOI?

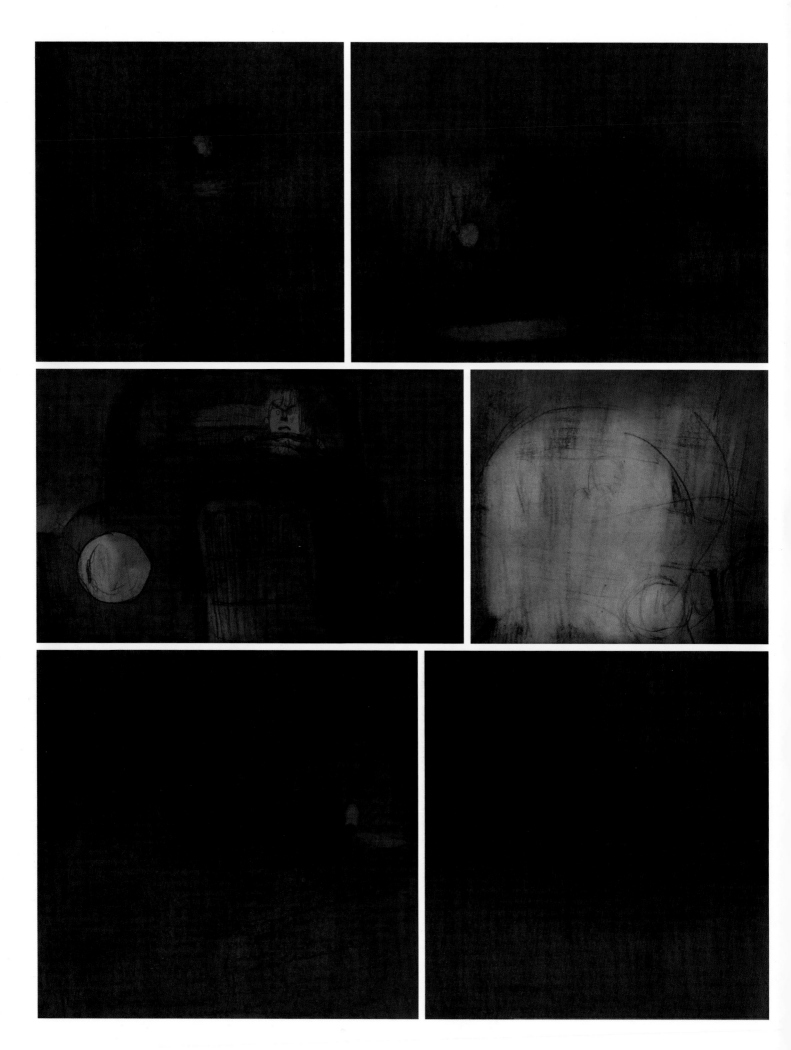

6

Rolando Rivas, chauffeur de taxi

Scénario d'Horacio Altuna
pour les pages 125 à 135.

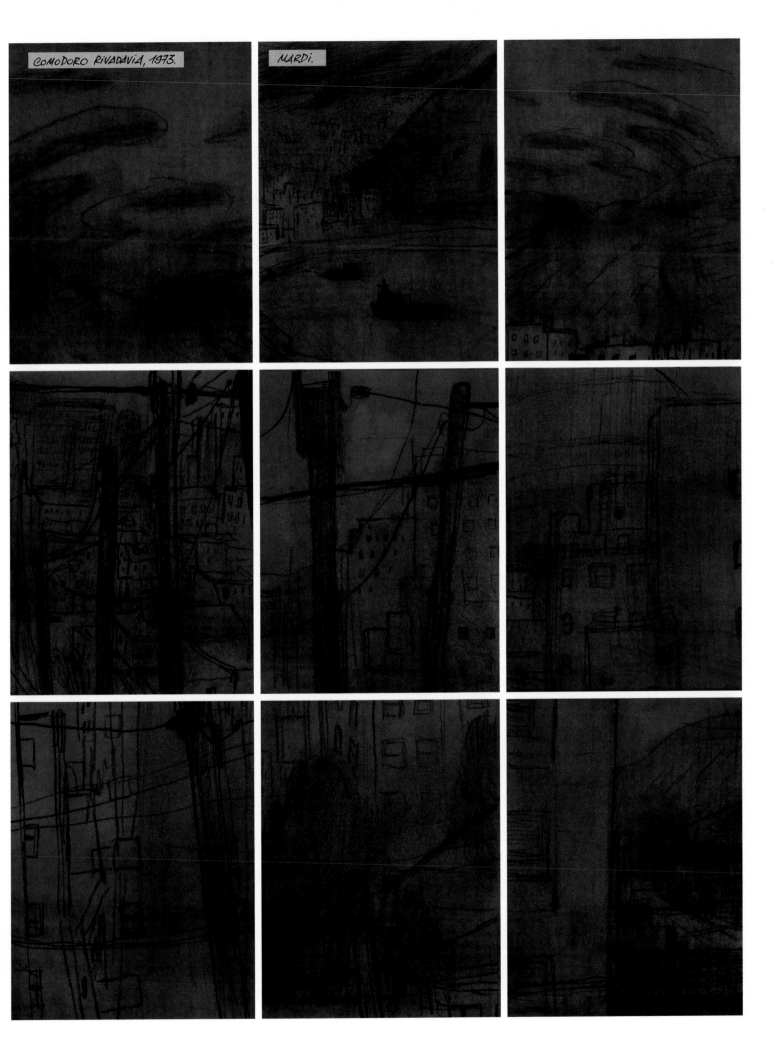

121

122

124

129

SUR LE MOMENT... ELLE N'Y A PAS PENSÉ... MAIS APRÈS ELLE S'EST DIT QUE... S'ILS LUI AVAIENT DONNÉ À CHOISIR, LA VIE DE MERDE QU'ELLE AVAIT À L'INTÉRIEUR DE LA PRISON OU LA MORT... ELLE Y A PENSÉ, VOUS VOUS RENDEZ COMPTE?

LA PEUR DE LA MORT ÉTAIT LA PLUS FORTE. ELLE A COMMENCÉ À TAPER ET À CRIER: QU'ILS LA LAISSENT RENTRER, QU'ILS LA REMETTENT DEDANS!

LA PEUR, C'EST À CHIER... C'EST HUMILIANT... ELLE SORT DE CE QU'ON A DE PIRE... ELLE TE FAIT RENONCER À TOUT... À CE EN QUOI TU CROIS... À CE QUE TU AS DE PLUS CHER...

CEUX DE LA PRISON L'ONT INSULTÉE ET LUI ONT DIT D'ALLER SE FAIRE FOUTRE UNE BONNE FOIS POUR TOUTES, QU'ILS N'EN VOULAIENT PLUS LÀ-DEDANS, QU'ELLE SE DÉMERDE DEHORS...

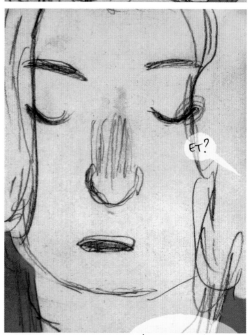

ET?

IL S'EST PASSÉ UN PAQUET DE TEMPS, ELLE, RECROQUEVILLÉE CONTRE LA GRANDE PORTE, SANS SAVOIR QUOI FAIRE, PLEURANT, MORTE DE FROID...

ALORS, APRÈS JE SAIS PAS COMBIEN, UNE HEURE OU DEUX, JE SAIS PAS... ELLE A COMMENCÉ À COURIR VERS L'OBSCURITÉ, DÉSESPÉRÉMENT, EN PENSANT QU'ILS ALLAIENT TIRER...

...ATTENDANT LA DÉCHARGE FINALE... EN SACHANT QUE C'ÉTAIT LA FIN, VOUS VOUS RENDEZ COMPTE?... COURIR EN ATTENDANT LES COUPS DE FEU QUI LA TUERAIENT? ELLE A COURU ET ELLE EST TOMBÉE... ET ELLE A CONTINUÉ À COURIR ET ELLE EST TOMBÉE DIX AUTRES FOIS...

ELLE N'A CESSÉ DE COURIR JUSQU'À ENTRER DANS L'OBSCURITÉ ET LÀ, ELLE A CONTINUÉ À COURIR...

132

135

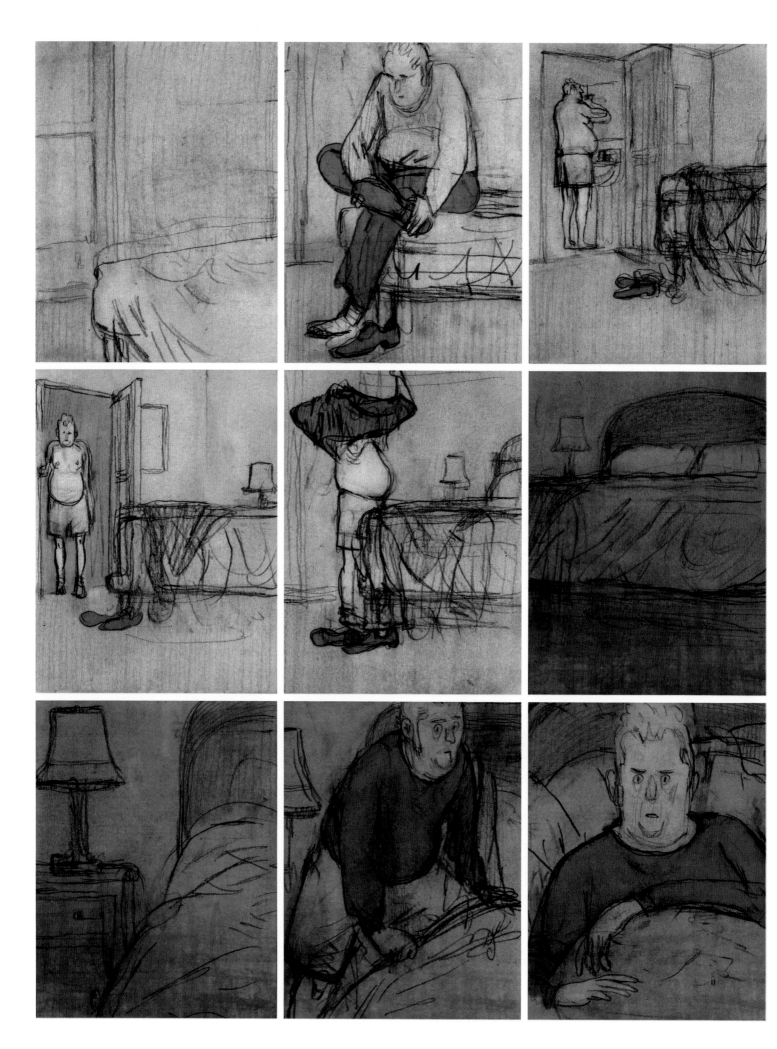

138

ROLANDO, QUE FAIS-TU?

JE SUIS VENU TE DEMANDER TA MAIN.

QUOI?

QUE JE SUIS VENU TE DEMANDER TA MAIN.

ATTENDS... ATTENDS UN PEU. JE PARLAIS AVEC TOI AU TÉLÉPHONE ET JE ME SUIS ENDORMIE ET JE SUIS EN TRAIN DE RÊVER TOUT ÇA, NON?

MAIS MOI JE NE VOULAIS PAS TE LE DIRE PAR TÉLÉPHONE. J'AURAIS PERDU LA SAVEUR D'UNE CHOSE SI BELLE ET SI DOUCE QUE J'AVAIS À TE DIRE...

...JE DEVAIS TE LE DIRE EN FACE POUR NE PAS PERDRE L'ÉMOTION DE LE VIVRE.

ALORS CE N'ÉTAIT PAS UNE MAUVAISE NOUVELLE?

MON DIEU, MON AMOUR ...

JE CROIS QUE C'EST LA PREMIÈRE FOIS QUE JE NE DOIS PAS ME BATTRE CONTRE UN SOUVENIR... POUR PROFITER DE TOUTE CETTE TENDRESSE QUI NOUS A TANT COÛTÉ.

ÇA SUFFIT... ÇA SUFFIT... JE NE VEUX PAS QUE TU DISES UN MOT DE PLUS. QUITTONS CE CAUCHEMAR ENSEMBLE... SANS SOUVENIR. JE VEUX OUBLIER. J'AI PARDONNÉ. J'AI PEUT-ÊTRE EU TORT, MAIS... REGARDER EN ARRIÈRE N'A AUCUN SENS. CONSTRUISONS UN MONDE NOUVEAU...

...LES DEUX... ICI... CONSTRUISONS-LE ICI... AVEC L'ESPOIR, AVEC LA FOI, AVEC LE SOURIRE, AVEC L'AMOUR... ET PROFITONS DE CE DONT NOUS NE PROFITONS PLUS DEPUIS SI LONGTEMPS. DIS, MON AMOUR.

OUI... BEAUCOUP, BEAUCOUP... TROP. J'EN AVAIS OUBLIÉ QU'ON POUVAIT ÊTRE HEUREUX À CE POINT.

UNE NUIT, IL M'A TÉLÉPHONÉ, M'A INVITÉE À BOIRE UN CAFÉ, IL M'A PARLÉ DE SA SOLITUDE ET MOI JE LUI AI PARLÉ DE LA MIENNE. NOUS NE SOMMES PLUS DES GAMINS, ROLANDO.

...J'AI DÉCOUVERT UN MONDE NOUVEAU, ROLANDO... ET J'EN AI PARLÉ À PAPA, À LA FOIS CRÉDULE ET HONTEUSE... ET PAPA M'A DIT DE VIVRE, DE COMMENCER À VIVRE PARCE QUE LA VIE ME DEVAIT UNE RÉPARATION ET UNE NOUVELLE CHANCE.

IL DIT PAS DES CRAQUES, LE VIEUX, TÉRÉ. JE CROIS QUE TOUS LES DEUX, ON T'A FAIT UN PEU DE MAL, ET ÇA T'A FAIT PERDRE COURAGE. TU AS OUBLIÉ QUE LA VIE, QUE L'ON ACCUSE SOUVENT DE CE QUI NOUS ARRIVE, DE CE QUE L'ON PERD, DE CE QUE NOUS N'OBTENONS PAS, EST AUSSI CELLE QUI NOUS REND LE SOURIRE, LA FOI, LA TENDRESSE ET L'ESPOIR.

IL S'AGIT D'APPRENDRE QUE LA VIE EST PLUS JUSTE, PLUS GÉNÉREUSE, PLUS SYMPA ET QUE TOUT NE COMMENCE ET NE FINIT PAS AVEC UNE SEULE PERSONNE...

OÙ ?

LOIN, LOIN... LOIN.

JE VOUS CONNAIS, MAIS D'OÙ ?

NE SOYEZ PAS SI PRESSÉ, NOUS AURONS LE TEMPS DE DISCUTER.

MOUAIS, JE CROIS BIEN QUE CE VOYAGE VA TE COÛTER ASSEZ CHER.

D'ACCORD, ÇA COÛTE CHER DE TUER CE QUE NOUS AIMONS.

TU... TU ES QUI, TOI ?

SI JE TE DIS QUE JE SUIS ROLANDO RIVAS...

NON, IMPOSSIBLE... ET MOI, QUI JE SUIS ALORS ?...

141

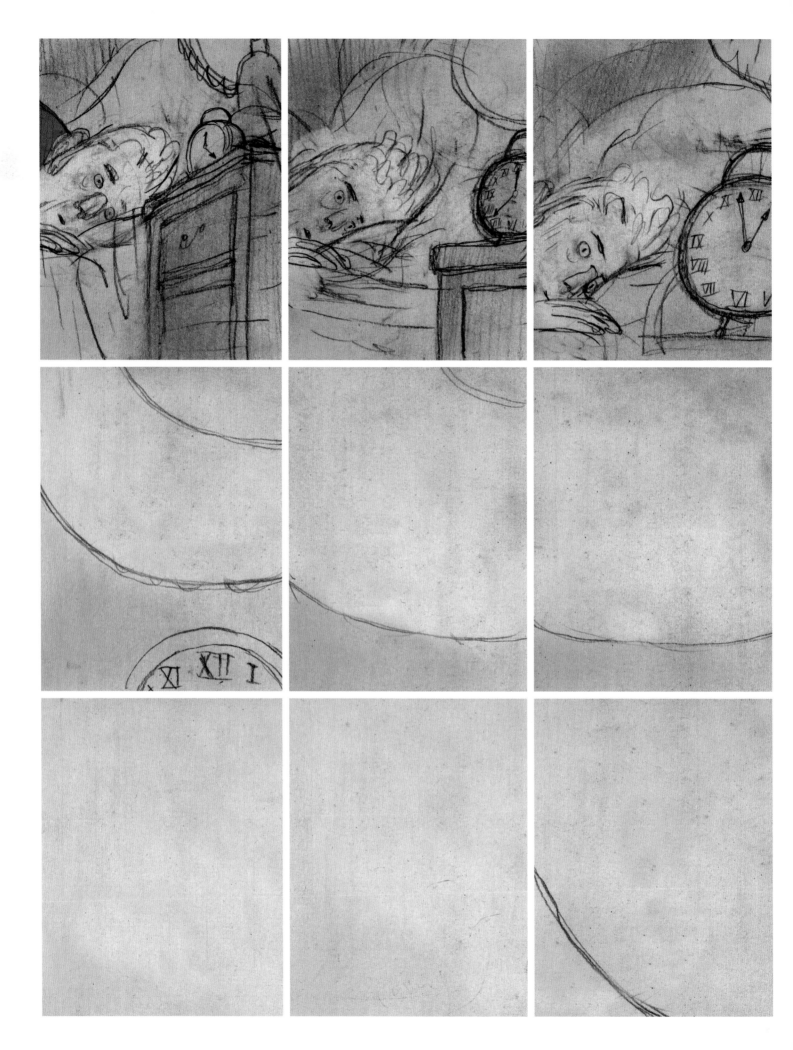

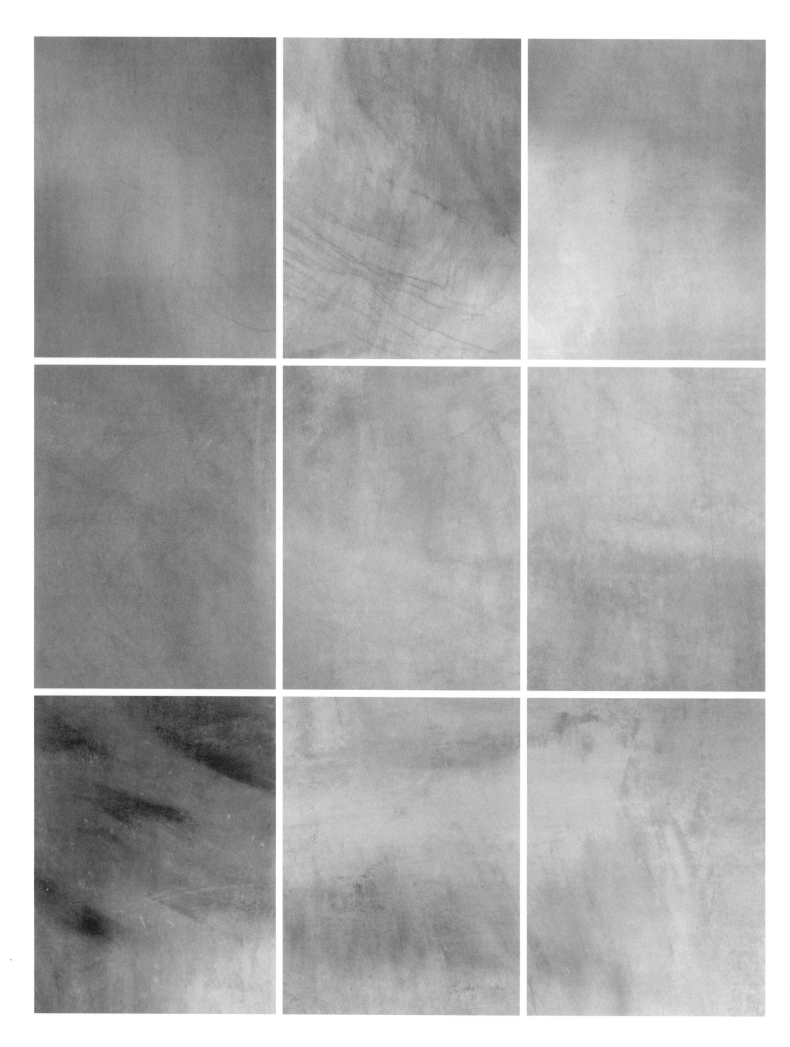

144

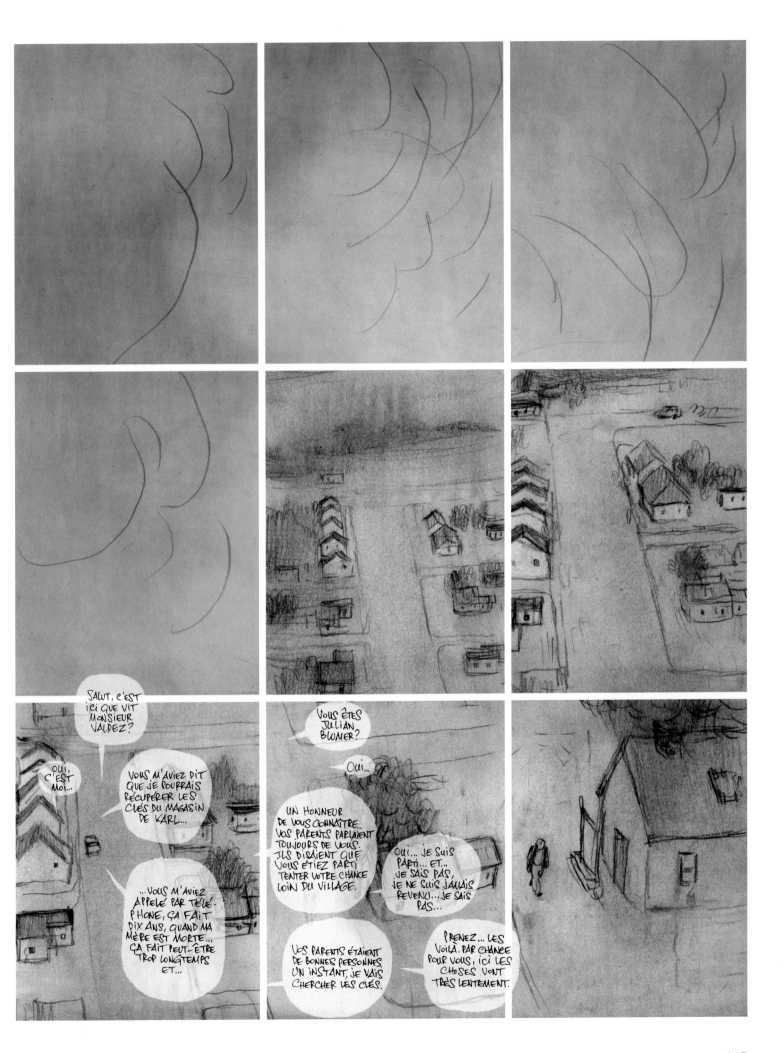

145

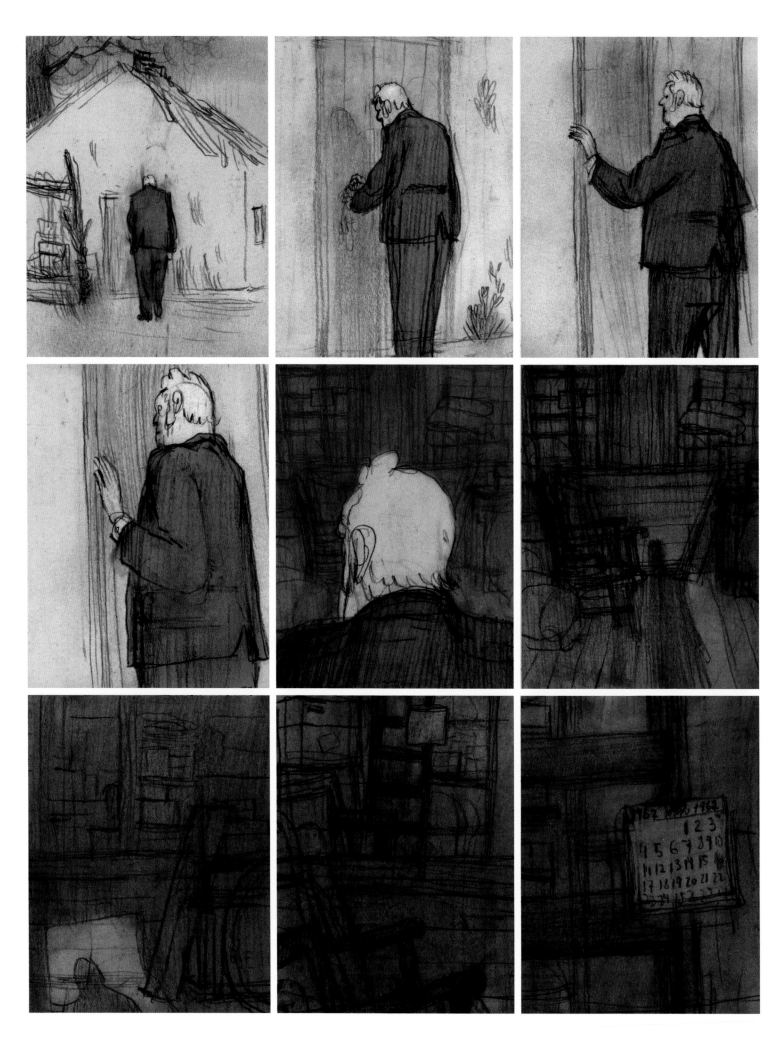

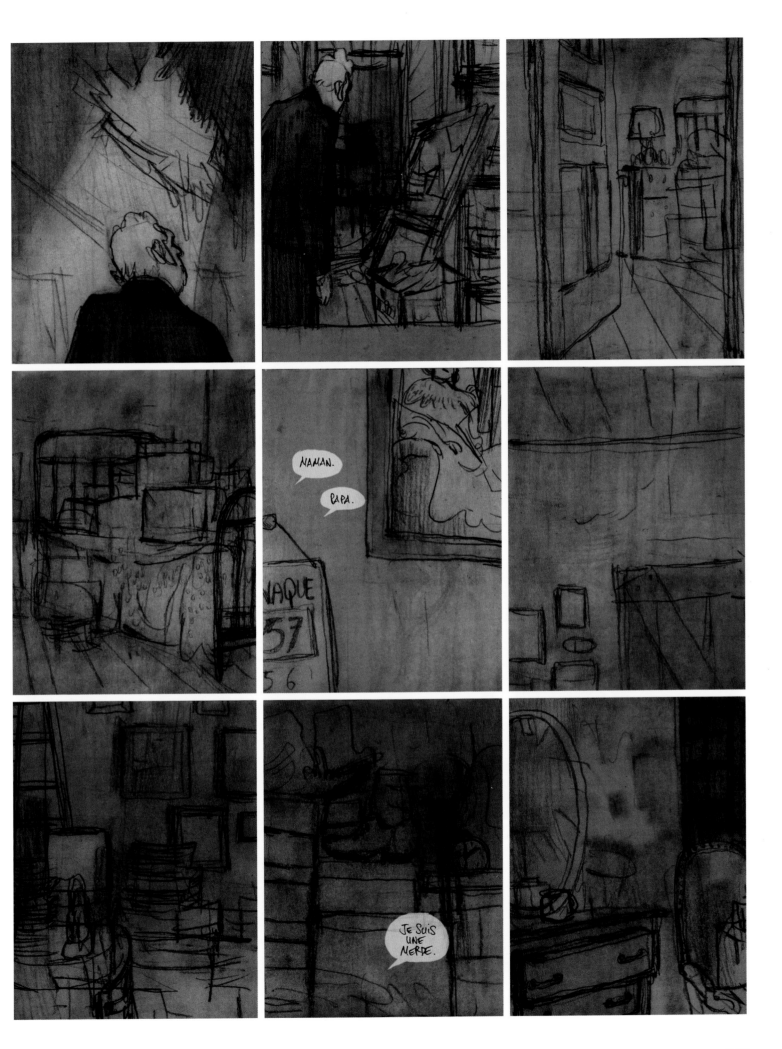

147

7
Baires
Scénario de Hernán González

BUENOS AIRES, 2002.

BUENOS AIRES, 2002.

GIMNASIO BOX

152

153

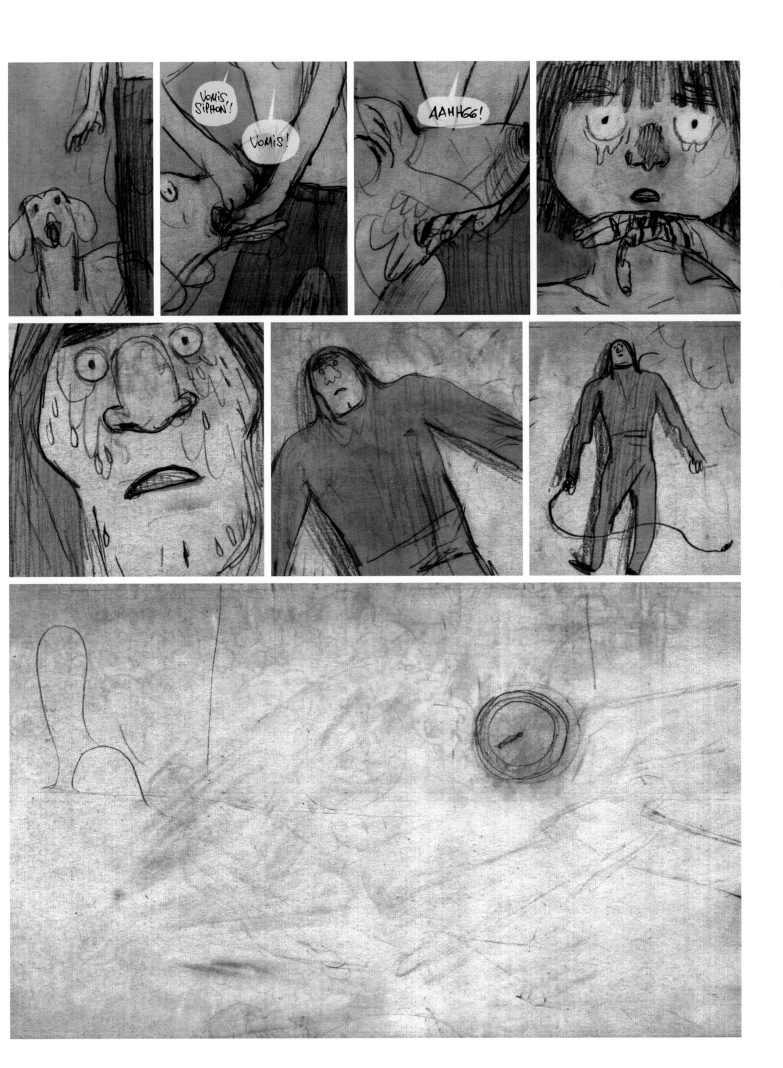

155

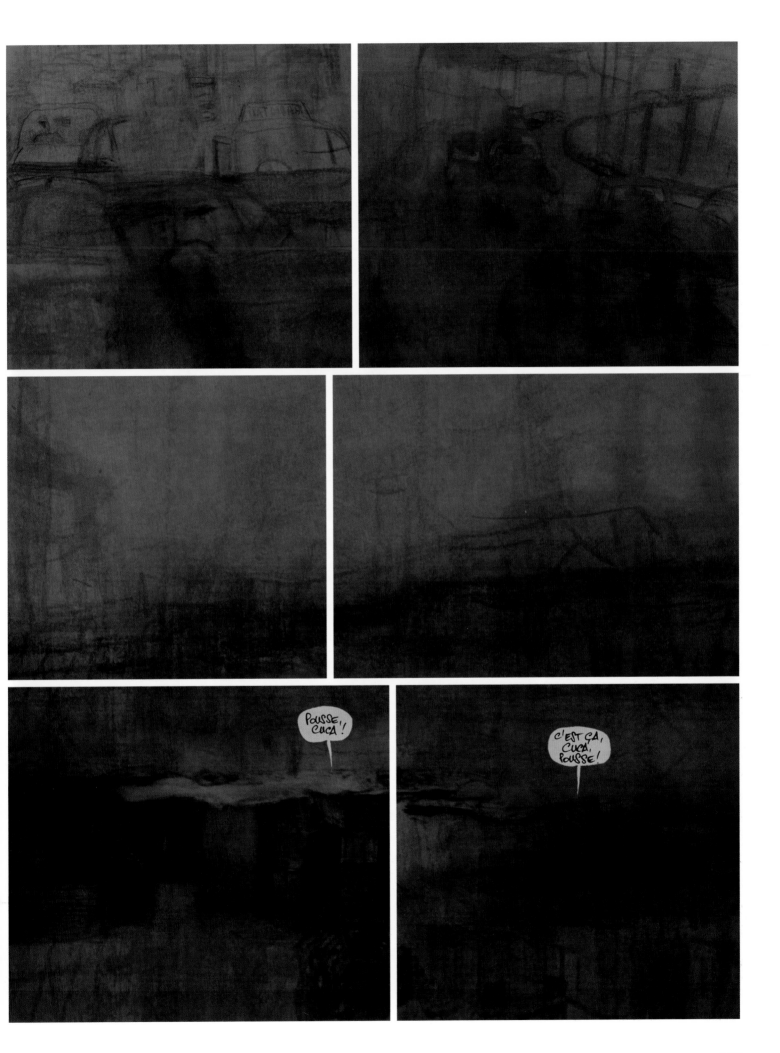

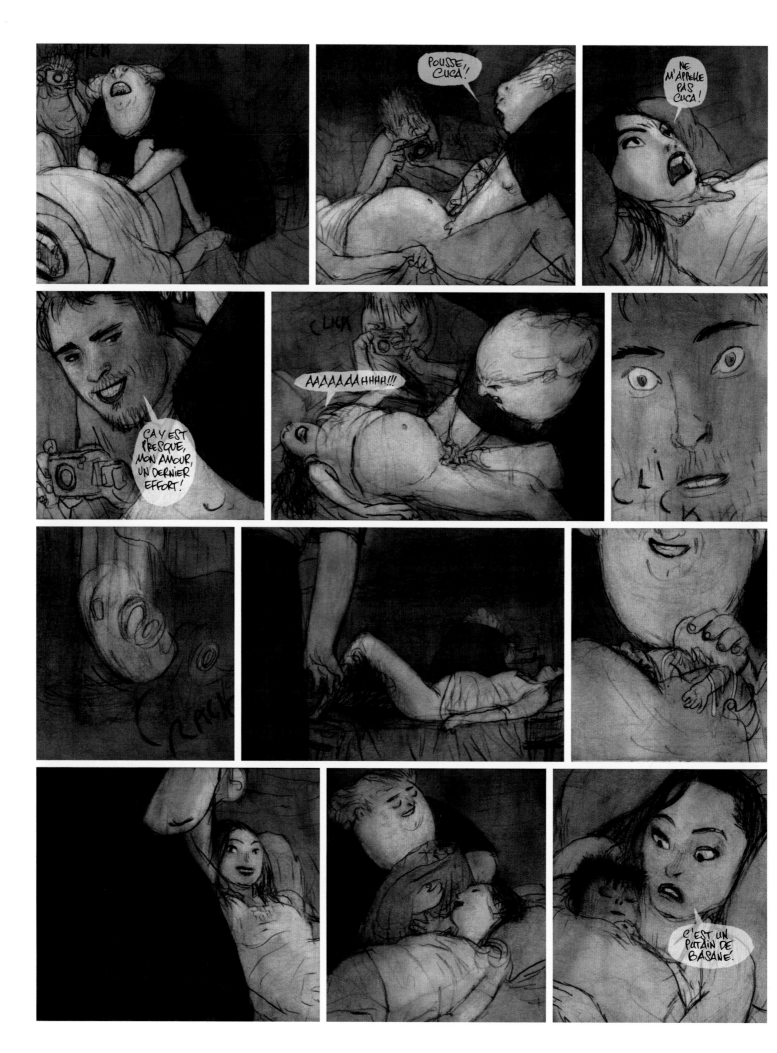

158

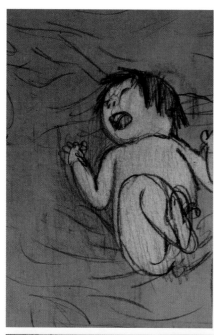

* LA POLICE RECHERCHE LE DR. MENGUELE DE LA VILLA 31

163

8
Dear Patagonia

Scénario de Hernán González

167

VOUS QUI ÊTES DE PARIS, COMMENT AVEZ-VOUS ATTERRI ICI ?

APRÈS DES ANNÉES DE RECHERCHE, LA CINÉMATHÈQUE DE BUENOS AIRES M'A DONNÉ LES COORDONNÉES DE VOTRE PÈRE... APPAREM-MENT, IL Y ÉTAIT ALLÉ POUR VÉRIFIER UN TRUC ET IL AVAIT LAISSÉ SON ADRESSE.

"... MAIS BON, JE SUIS LÀ DEPUIS DEUX SEMAINES ET IL NE ME DIT RIEN, JE NE PEUX PAS ATTENDRE PLUS LONGTEMPS.

LE VIEUX EST COMME ÇA. SI VOUS VOULEZ LES FILMS, VOUS ALLEZ DEVOIR VOUS HABITUER À SON RYTHME.

QU'EST-CE QU'IL A, NAHUEL ?

JE L'AI RAMENÉ À LA MI-TEMPS. L'ENTRAÎNEUR S'EST REMIS À LEUR LIRE DU NIETZSCHE...

"... JE LUI AVAIS DÉJÀ DIT DE NE PAS LIRE DE MERDE NAZIE AUX GAMINS.

IL LIT DU NIETZSCHE MAIS ÇA VEUT PAS DIRE QU'IL EST NAZI. NIETZSCHE EST MORT EN 1900 ET HITLER A PRIS LE POUVOIR EN 1933.

NON, PAS DE WHISKY, MERCI.

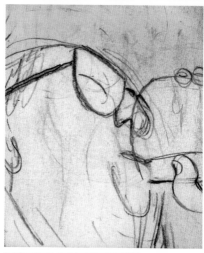

ET TU VAS ME DIRE QUE CE TRUC DE SUPERMAN, C'EST PAS NAZI...

SUPERMAN ?

SUPERMAN, SURHOMME... IL PARLAIT PAS DE ÇA, CE NAZI À LA CON ?

NORD-OUEST DE CHUBUT, 2002.

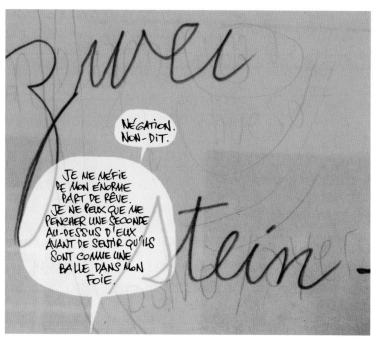

VOUS AUREZ LE TEMPS DE ME TRADUIRE TOUS LES CAHIERS ?

VOUS M'AVEZ DIT QUE VOUS PARTEZ QUAND À PARIS ?

JE DOIS ABSOLUMENT PARTIR DANS TROIS SEMAINES. LA RÉTRO-SPECTIVE DU MUSÉE AURA LIEU DANS 6 MOIS ET IL Y A ENCORE BEAUCOUP DE CHOSES À ORGANISER...

EN UNE SEMAINE, CE SERA FAIT. ÇA VA ME FAIRE DU BIEN DE ME REMETTRE À L'ALLEMAND, ÇA FAIT LONGTEMPS QUE JE NE LE PARLE PLUS.

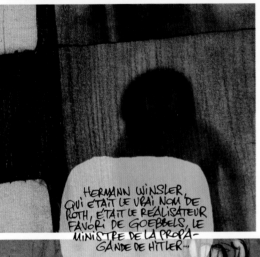

HERMANN WINSLER, QUI ÉTAIT LE VRAI NOM DE ROTH, ÉTAIT LE RÉALISATEUR FAVORI DE GOEBBELS, LE MINISTRE DE LA PROPA-GANDE DE HITLER...

QUELLE ÉMOTION ! JE NE PEUX PAS CROIRE QUE J'AI TROUVÉ CE FILM !

MAIS... POURQUOI C'ÉTAIT SI IMPORTANT ?

...AU MOMENT DE SON APOGÉE À L'INTÉRIEUR DE LA STRUCTURE NAZIE, IL FUT ENVOYÉ EN ARGENTINE POUR TISSER DES CONTACTS ET RECON-NAÎTRE LE TERRAIN EN CAS DE FUITE DES HAUTS GRADÉS NAZIS À LA FIN DE LA GUERRE.

CE QUI EST BIZARRE, C'EST QU'APRÈS ÊTRE ARRIVÉ EN ARGENTINE, IL A DISPARU ET A ROMPU TOUTE RELATION AVEC LE NATIONAL-SOCIALISME.

CE MATÉRIEL EST LE SEUL TÉMOIGNAGE DE L'ÉPOQUE OÙ IL ÉTAIT DÉSERTEUR.

ALORS... IL NE S'APPELAIT PAS ROTH ?

NON, WINSLER... ON NE SAIT PAS NON PLUS QUAND IL EST MORT OU MÊME S'IL EST VIVANT.

NON, JE NE CROIS PAS... IL AVAIT 25 ANS DE PLUS QUE MOI... IL AURAIT 105 ANS.

ET VOUS... POURQUOI VOUS VOUS INTÉRESSEZ AUTANT À ROTH?... ENFIN, WINSLER...

JE M'INTÉRESSE AUX PERSONNES QUI, TOUT EN ÉTANT LE FRUIT DE LA CIVILISATION OCCIDENTALE, SONT ÉBLOUIES PAR UNE SAUVAGERIE QUI LUTTE POUR NE PAS S'ÉTEINDRE.

QUE VOYEZ-VOUS LÀ-BAS?

JE NE COMPRENDS PAS DE QUOI VOUS PARLEZ.

LÀ-BAS? UN MAC DO.

VOILÀ DE QUOI JE PARLE. CE TYPE DE CHOSES EST EN TRAIN DE TUER CET ENDROIT.

MERCI POUR TOUT, MARIO. VOILÀ LES BOBINES.

ON ENTRE?

ASSEYONS-NOUS LÀ.

MALGRÉ NOTRE SÉPARATION EN MAUVAIS TERMES, J'AI TOUJOURS GARDÉ DE LA TENDRESSE ET DE L'ADMIRATION POUR LUI PENDANT TOUTES CES ANNÉES.

ET AU FINAL, ROTH ÉTAIT UN AUTRE NAZI FILS DE PUTE...

JE CONTINUE À ME DEMANDER POURQUOI SES FILMS ET SES CAHIERS ÉTAIENT DANS LE MAGASIN DE MES PARENTS.

J'IMAGINE QUE SON AMI, TAYLOR L'ÉCOSSAIS A FINI PAR MOURIR ET N'AVAIT QUE MES PARENTS SOUS LA MAIN... IL S'EST TOUJOURS BIEN ENTENDU AVEC EUX...

...IL A DÛ LAISSER TOUT ÇA POUR VOYAGER OU UN TRUC COMME ÇA... JE ME LE SUIS TOUJOURS DEMANDÉ...

SI J'AVAIS SU TOUT CE QUE VOUS M'AVEZ RACONTÉ AUJOURD'HUI, JE LES AURAIS BRÛLÉS SUR PLACE QUAND JE LES AI TROUVÉS.

179

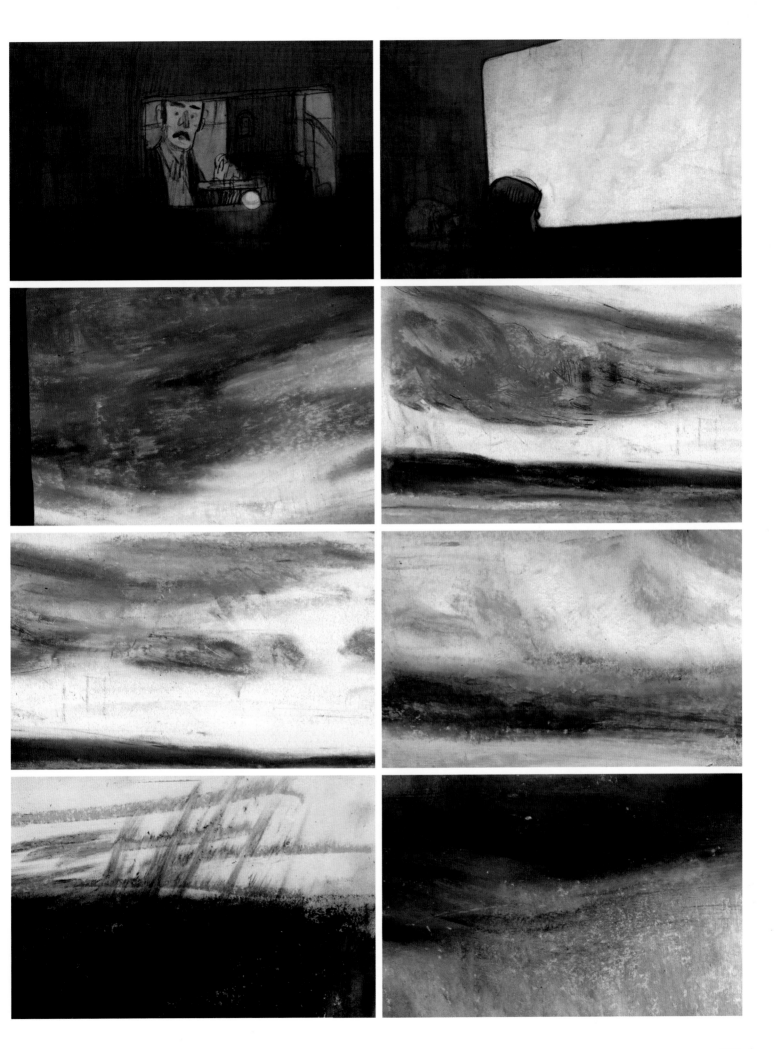

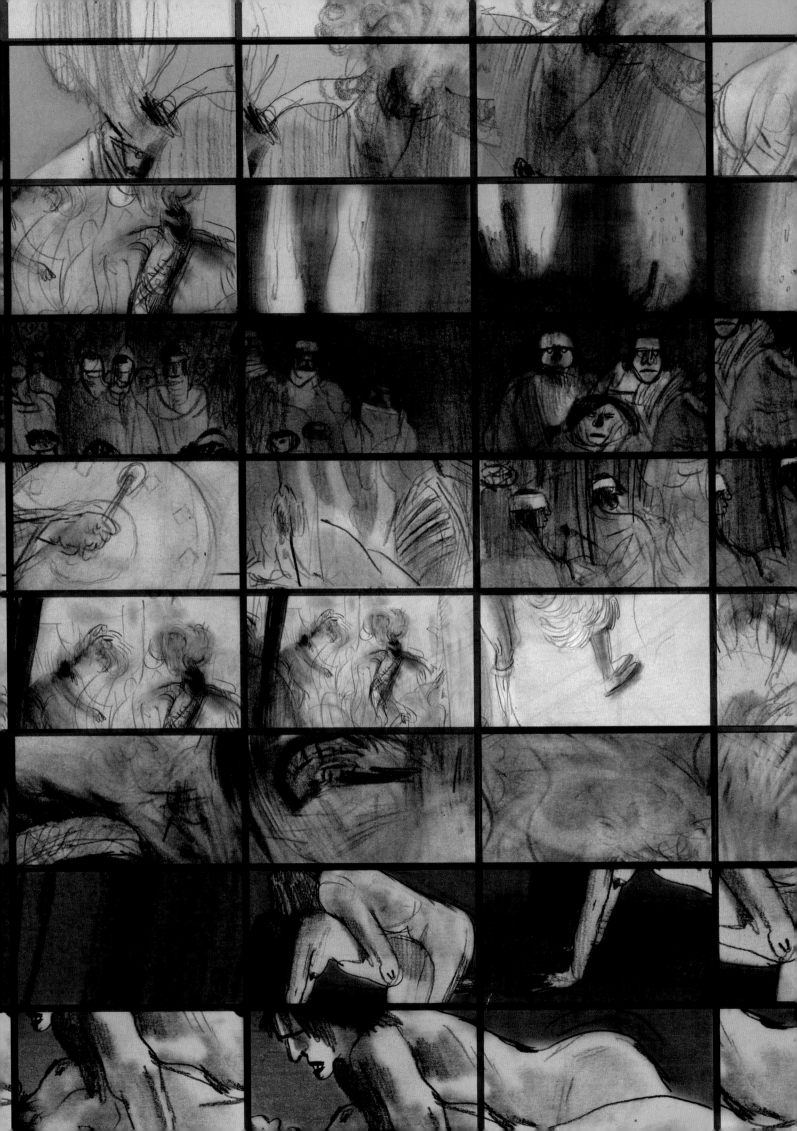

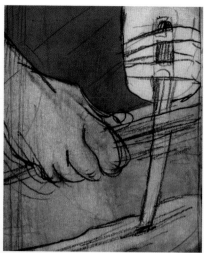

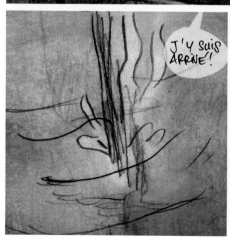

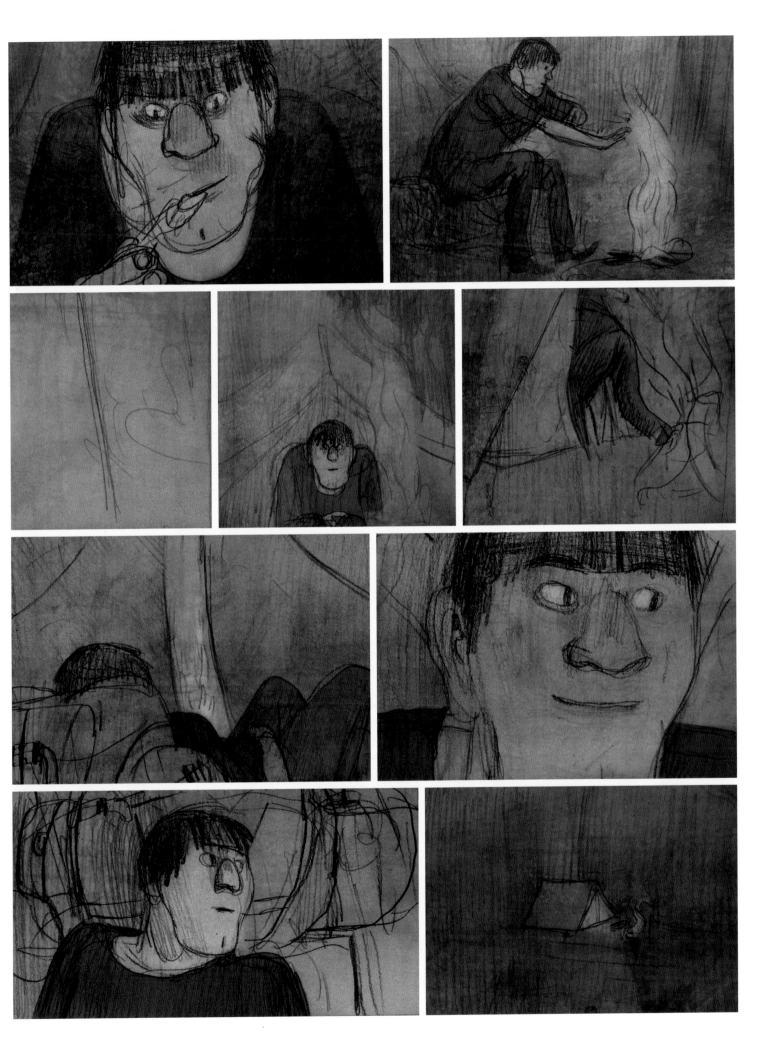

190

NORD-OUEST DE CHUBUT, 2002.

193

194

195

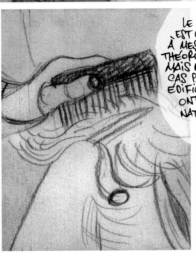

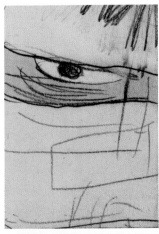

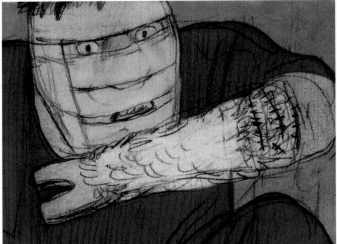

* TERRITOIRE MAPUCHE RÉCUPÉRÉ

9
En suivant la spirale tordue

Scénario d'Alejandro Aguado

BUENOS AIRES, 2009

TON DERNIER
LIVRE... TU VAS
LE PRÉSENTER
AU SALON DU
LIVRE, NON ?...

BIEN SÛR, VENIR
À BUENOS AIRES AIDE
TOUJOURS À SE FAIRE
CONNAÎTRE.

COMMENT IL
S'APPELLE ?

"LA VALLÉE
DES ANCÊTRES"

C'EST SUR QUOI ?
C'EST DANS LA
MÊME LIGNÉE QUE
LES PRÉCÉDENTS ?

PLUS OU MOINS, CELUI-CI
EST PLUS INTIMISTE... DISONS
QUE C'EST LA CHRONIQUE
D'UNE INVESTIGATION SUR
UNE PARTIE DE MON PASSÉ
FAMILIAL...

ÇA M'A AIDÉ À TROUVER
MES RACINES SUR CES TERRES...
DES RACINES D'ANCÊTRES VENUS
D'EUROPE IL Y A UN PEU PLUS
DE CENT ANS...

MAIS AUSSI DE CEUX
QUI ÉTAIENT EN PATAGONIE
DEPUIS DES MILLIERS
D'ANNÉES.

ET COMMENT ÇA A
COMMENCÉ ? JE VEUX DIRE...
TU AVAIS DÉJÀ ÉCRIT D'AUTRES
LIVRES, MAIS TU ME DIS QUE
CELUI-CI T'A AMENÉ À PENSER
LA PATAGONIE DE FAÇON "PLUS
PERSONNELLE".

JE NE ME SOUVIENS PAS DE LA
DATE EXACTE, 2001 PEUT-ÊTRE
JE SUIS ALLÉ À LAGO BLANCO
DANS LA VALLÉE DU CHALIA,
AVEC DON RUBEN CUNNIGHAM
POUR ALLER VOIR UNE ZONE OÙ
IL Y AVAIT EU DES COLONS
NORD-AMÉRICAINS ET CONNAÎ-
TRE LA TOMBE DU FAMEUX
CACIQUE TEHUELCHE
QUICHAMAL...

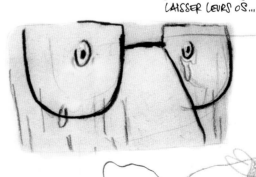

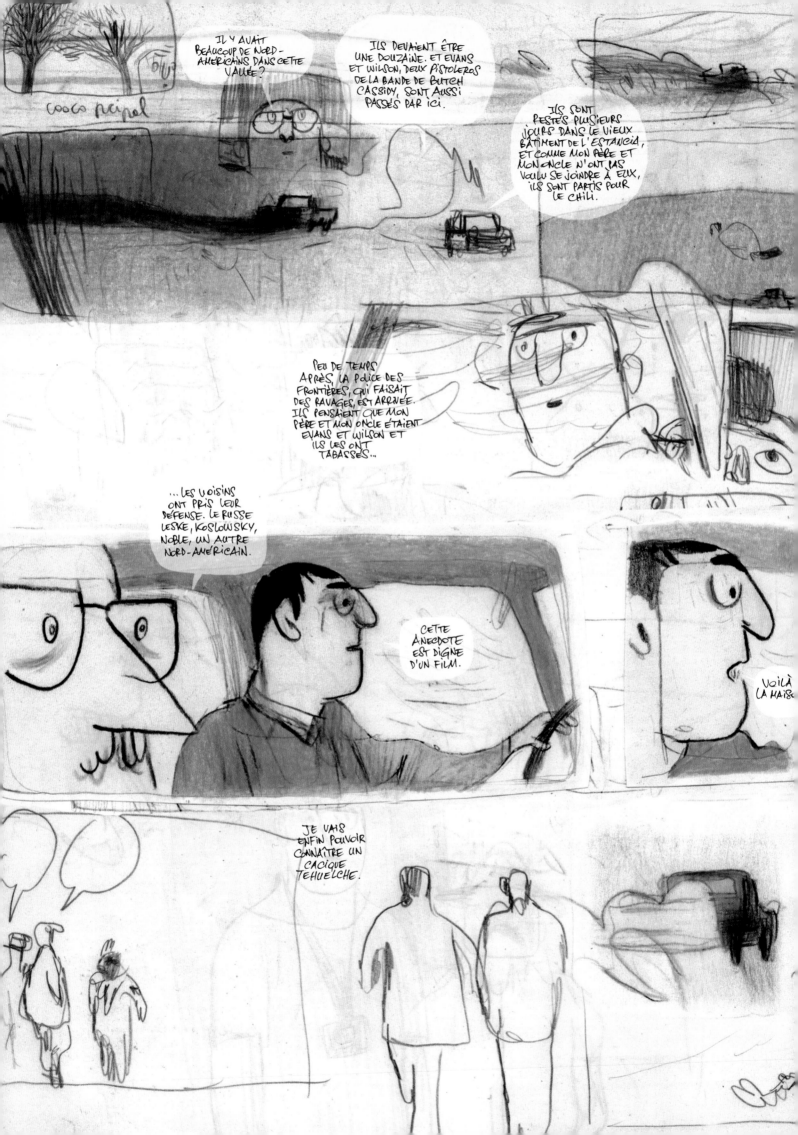

VOUS SAVEZ, RUBEN, JE SUIS ENCORE SOUS LE CHOC, NOUS AVONS CONNU UN CACIQUE. QUELQU'UN DE CES TERRES, QUI A DERRIÈRE LUI DES MILLIERS D'ANNÉES D'HISTOIRE. DIRE QUE TOUT LE MONDE ICI CROIT QUE L'HISTOIRE COMMENCE IL Y A UN SIÈCLE, AVEC LES COLONS.

MOI AUSSI, JE SUIS SOUS LE CHOC, ET CE QU'IL A RACONTÉ DES COMBATS!

APRÈS, ON DIT QUE LES TEHUELCHES N'EXISTENT PAS ET, COMME SI DE RIEN N'ÉTAIT, EUX ILS RACONTENT DES HISTOIRES D'IL Y A UN SIÈCLE COMME SI ÇA DATAIT D'HIER.

C'EST À PEINE CROYABLE. MAIS BON, POUR LES GENS DE LA VILLE, ILS APPARTIEN-NENT AU PASSÉ.

ON A VRAIMENT TOUT FAUX...

...PAR CONTRE, CE QUI ME DÉRANGE C'EST QU'ILS AIENT ABANDONNÉ LEURS COUTUMES. DES TEHUELCHES CHRÉTIENS...

À PARTIR DE CE VOYAGE, TON POINT DE VUE A CHANGÉ.

OUI... COMME JE TE LE DISAIS, ÇA S'EST FAIT PARCE QUE ÇA DEVAIT SE FAIRE, JE SENTAIS LE BESOIN D'ENREGISTRER LE VÉCU DE CE TISSU RURAL QUI M'ÉTAIT JUSQU'ALORS INVISIBLE.

TU AS FAIT DES RECHERCHES SUR LES ONAS DE LA TERRE DE FEU OU SEULEMENT SUR LES TEHUELCHES ET LES MAPUCHES?

JE NE SUIS PAS UN SPÉCIALISTE CONCERNANT LES ONAS... POUR ÇA, IL VAUT MIEUX LIRE ANNE CHAPMAN, MARTIN GUSINDE... LEURS ENREGISTREMENTS, LEUR ÉTUDE SUR LE "HAIN"... TOUT ÇA EST INCROYABLE.

ET LEUR MYTHOLOGIE DONNE ENVIE DE S'Y PERDRE UN MOMENT...

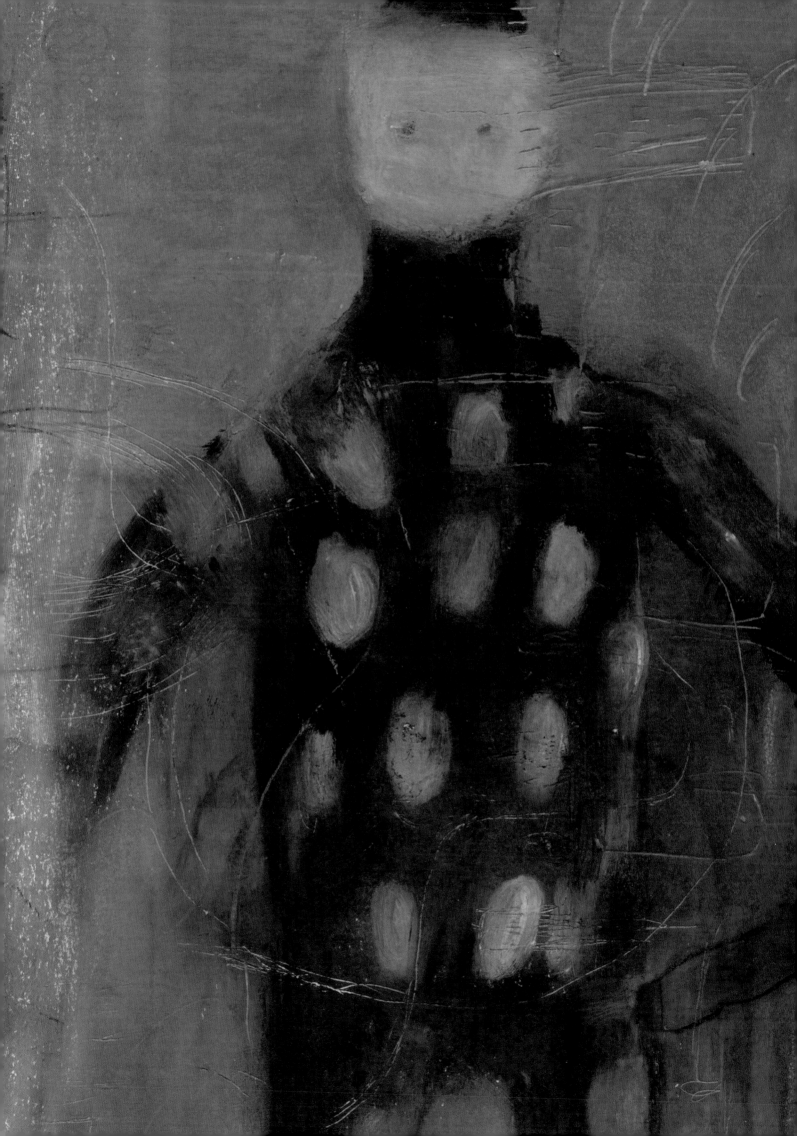

SE ORIGINA EL MUNDO

Unos rumores lejanos estuvieron sacudiendo to-
da la lisura. Entonces era aquélla una larguedad in-
mensa, oscura y desierta. Solo contornos minerales,
de porte severo, envueltos en un cielo cargado de
amenazas.

Quietud tensa y algunas vibraciones extrañas se-
guían viniendo de lo hondo. Hasta que la tierra saltó
de adentro reventando en chispas y siguió saliendo
dándose vueltas.

El hervor se extendió lejos y todo fue quedando
abajo, tapado por la tierra nueva. Después los res-
plandores cambiaron y la tierra nueva no estuvo mu-
cho palpitando.

Colorido se diluyó el cielo, con unos colores ra-
ros. Pero otras luces volvieron después a encenderlo
y no se vio ya lo que antes había, sino esta otra tierra.
Lagunas, cañadones y ríos. Guanacos, ñandúes, ma-
ras* y lloicas*. Y el hombre de la tierra, libre como
el viento.

El cerro que echó fuera la tierra de ahora, está
rodeado de crestas que se tienden a lo lejos. Es ne-
gro y fragoso. Nadie supo si antes estaba o él también
vino con las cosas nuevas. Pero se levanta aquí, como un gigante solitario, cerca del Gran Lago. Le lla-
man Ashpesh y los hombres de la tierra lo veneran.

Nota

Se trata del origen del mundo según creencia tehuelche.
Los ecos de la leyenda han sido recibidos directamente. Es
posible que alguna de las últimas irrupciones basálticas
postglaciares fuese presenciada por el hombre primitivo.
Y su recuerdo imponente, transmitido de generación en generación, haya ido adquiriendo con el tiempo contornos le-
gendarios. Es de notar que las versiones sobre el origen

del mundo varían según la parcialidad que las
corresponde a los grupos Chehuachekenk, del
rico A. Escalada y su lengua fue el teushen. P
te, conocí y traté a una hija del legendario
chamn (o Kelchaman), llamada Agustina K.
Su madre se llamó Betenshu y hablaba teush

① MONTE CEBALLOS
② LAGO BUENOS AIRES – GENE
CARRERAS (BINACIONAL)

EN PARLANT DE ÇA, JE CONNAIS UN
LIVRE SUR LA MYTHOLOGIE TEHUELCHE,
QUI S'APPELLE TERRE SANS ÂGE, DE
CUEVAS ACEVEDO. IL RACONTE L'ORIGINE
DU MONDE ET COMMENT LES TEHUELCHES
OU LES PEUPLES QUI LEUR ONT DONNÉ
NAISSANCE ONT ÉTÉ TÉMOINS DU
RETRAIT DES GLACIERS QUI A EU LIEU
IL Y A PRÈS DE DIX MILLE ANS.

Esta región fue segregada y
destinada a la ganadería. A partir

CETTE MAISON
ÉTAIT LE VIEUX MAGASIN
OÙ S'ARRÊTAIENT LES
CHARRETIERS. MAINTENANT
C'EST UNE ÉCURIE.

CE LIEU EST
CONVOITÉ, SURTOUT À
CAUSE DES HAUTES HERBES.
TOUT LE MONDE VEUT
Y METTRE SON
TROUPEAU.

C'EST LÀ-BAS QUE
SE TROUVAIT LA TOLDERIA
DE MANIQUEQUE. L'ENDROIT
EST ENCORE INTACT, ON
NE LAISSE PERSONNE
Y ALLER.

C'EST DIFFICILE
D'ACCÈS?

IL FAUT
ATTENDRE QUE
LA RIVIÈRE SOIT
SUFFISAMMENT BASSE
OU TRAVERSER À
CHEVAL, MAIS
C'EST DANGEREUX.

VOILÀ LA TOMBE
DE BOTELLO, CELLE
QUI A LE CŒUR
QUI EST À MOITIÉ
OXYDÉ.

PAR ICI, ON TROUVE
BEAUCOUP DE RELIQUES,
DES BOUILLOIRES LAISSÉES
PAR LES CHARRETIERS, DES
OUTILS DE PIERRE, DES
ARMES.

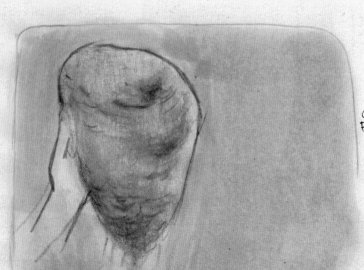

PUISQUE VOUS
ÊTES DES PARENTS
À NOUS, JE VAIS VOUS
MONTRER QUELQUE
CHOSE.

C'EST COMME
UN ANGE
GARDIEN.

C'EST UN YATEL,
LA PIERRE PROTECTRICE
QUE GARDAIT CHAQUE
FAMILLE TEHUELCHE.
SEUL UN TEHUELCHE
PEUT LA TOUCHER.

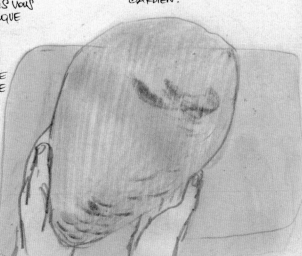

IL VA BIENTÔT
FAIRE NUIT,
NOUS ALLONS DEVOIR
PARTIR.

J'ESPÈRE QUE
VOUS REVIENDREZ
NOUS VOIR.

REVENEZ ET AMENEZ
VOTRE GRAND-MÈRE,
COMME ÇA ON LA CONNAÎTRA.
ILS NE SONT PLUS
NOMBREUX, CEUX D'AVANT.

OUI, ON VA
REVENIR AVEC
ELLE.

QU'EST-CE QUI S'EST PASSÉ APRÈS QUE TU AS SU QUE LE GRAND-PÈRE DE TA GRAND-MÈRE ÉTAIT LE CACIQUE MANIQUEQUE?

JE SUIS ALLÉ LA VOIR À COMODORO RIVADAVIA, À PEINE RENTRÉ DE MON VOYAGE. J'Y SUIS ALLÉ DOUCEMENT. ISABEL N'AIME PAS PARLER DES TEMPS ANCIENS.

LE PASSÉ EST UNE OMBRE QU'ELLE PRÉFÈRE MAINTENIR ENTERRÉE EN SILENCE.

IL S'EST AVÉRÉ ASSEZ DIFFICILE D'OBTENIR DES INFORMATIONS À PROPOS DES ANCÊTRES DE MA FAMILLE MATERNELLE.

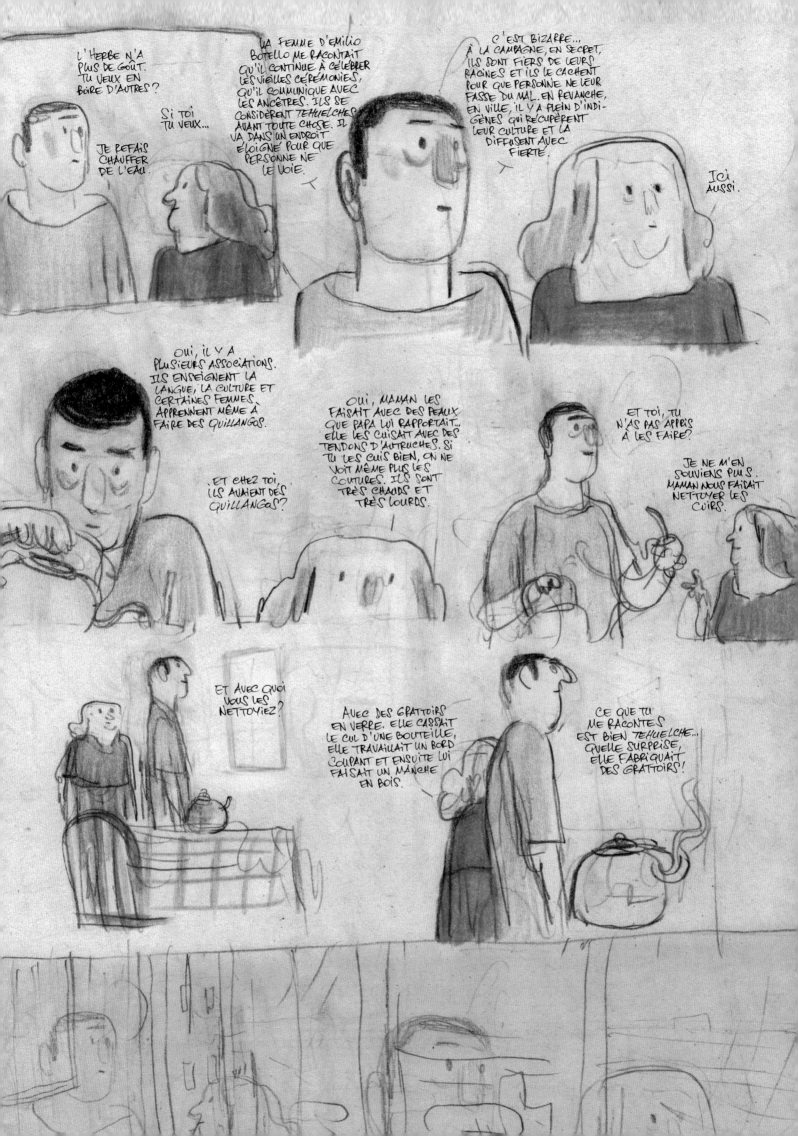

TU SAIS QUOI ? LES BOTELLO SONT DES PARENTS À NOUS. QUAND JE LEUR AI DIT QUE TU ÉTAIS DE FAMILLE AVEC LES MORGAN, GREGORIO M'A DIT QU'ILS ÉTAIENT PARENTS AVEC EUX, DU CÔTÉ DE MANIQUEQUE.

MANIQUEQUE ?

OUI, LA TRIBU TEHUELCHE DE CHOIQUENILAHUE. ILS M'ONT EMMENÉ VOIR LE CHENQUE DU CACIQUE, LA TOMBE EN PIERRE OÙ IL REPOSE. C'EST UN HONNEUR QU'ILS RÉSERVENT À PEU DE GENS.

D'APRÈS CE QUE TU ME DIS DU GUILLANGO ET DE MANIQUEQUE, IL SEMBLERAIT QU'EN PLUS DE NOS ANCÊTRES ESPAGNOLS ET ITALIENS, NOUS AYONS AUSSI DU SANG TEHUELCHE.

PAPA EST TOMBÉ AMOUREUX DE CETTE TERRE, IL N'A JAMAIS VOULU RETOURNER EN GALICE BIEN QUE SA FAMILLE LUI AIT DEMANDÉ DE RENTRER.

QUAND MAMAN EST TOMBÉE MALADE, PAPA A DEMANDÉ À UN FRÈRE À ELLE DE LUI GARDER LES TERRES POUR QU'IL L'EMMÈNE CHEZ LE MÉDECIN. LORSQU'ILS SONT REVENUS, ILS ONT DÉCOUVERT QU'IL LEUR AVAIT TOUT MANGÉ ET QU'IL AVAIT VENDU CERTAINS ANIMAUX.

TU NE M'AS JAMAIS PARLÉ DE TON ENFANCE NI DES PAYSANS.

ÇA FAIT TRÈS LONGTEMPS ET IL Y A DES CHOSES QU'IL VAUT MIEUX NE PAS SE RAPPELER.

LES PAYSANS, LES INDIENS, ON LES AIMAIT PAS BEAUCOUP, ON DISAIT QU'ILS ÉTAIENT FAINÉANTS ET BUVEURS.

MAMAN PARLAIT PEU. LA NUIT, PENDANT QU'ELLE CUISINAIT, PAPA LUI RACONTAIT DES HISTOIRES QU'ELLE ÉCOUTAIT. IL LUI RACONTAIT BEAUCOUP D'HISTOIRES DE PAYSANS, DE QUAND IL EST VENU VIVRE AVEC EUX.

ET TU TE SOUVIENS DE CE QU'IL RACONTAIT ?

NON, ÇA FAIT TROP LONGTEMPS.

L'EAU EST FROIDE. LE MATÉ EST HORRIBLE.

TU AS EU DU MAL À PARLER DE CES CHOSES AVEC ELLE ?

MA GRAND-MÈRE FONCTIONNAIT COMME UN ÉCHO DE LA PENSÉE UNIQUE QUI DOMINAIT NOTRE SOCIÉTÉ IL Y A UN DEMI-SIÈCLE. JE ME RENDAIS BIEN COMPTE QU'ELLE EN SAVAIT PAS MAL SUR LES INDIENS DE LA RÉGION DE LA VALLÉE DE FACUNDO. MÊME SI SON PÈRE JOSÉ GRAÑA ÉTAIT UN COLON ESPAGNOL, SES VOISINS, QUELQUES PARENTS ET SA MÈRE ÉTAIENT INDIGÈNES, ET À L'ÉPOQUE DE SON ENFANCE, ILS MAINTENAIENT LEURS COUTUMES VIVANTES...

... POUR SONDER SES CONNAISSANCES, J'AI COMMENCÉ À LUI DÉCRIRE DES COUTUMES INDIGÈNES ET LEURS FORMES DE VIE. ELLE RAJOUTAIT TOUJOURS QUELQUE CHOSE OU CONFIRMAIT PAR UN "OUI"...

... IMPOSSIBLE QU'ELLE NE SE RAPPELLE RIEN.

"... CHAQUE CONFIRMATION RENFORÇAIT MON IDÉE COMME QUOI LE DISCOURS PAR LEQUEL ON AVAIT STIGMATISÉ LES INDIGÈNES, AVAIT PRIS RACINE EN ELLE...

... PEU À PEU, J'AI MODIFIÉ SA VISION, EN LUI MONTRANT L'AUTRE FACE, EN LUI EXPLIQUANT LEUR SOUFFRANCE EN TANT QUE PEUPLE, LEUR STIGMATISATION À TRAVERS UN DISCOURS IDÉOLOGIQUE INSTRUMENTALISÉ PAR LE POUVOIR CENTRAL...

"... IL S'AGIT D'UN RÉCIT QUI A ÉTÉ ÉLABORÉ PAR LE SECTEUR DOMINANT DE LA SOCIÉTÉ ARGENTINE DE LA FIN DU XIXᵉ SIÈCLE, MAIS QUI PERDURE ENCORE AUJOURD'HUI, MÊME S'IL EST EN RÉGRESSION, POUR JUSTIFIER LA CAMPAGNE MILITAIRE APPELÉE LA "CONQUÊTE DU DÉSERT", RÉALISÉE DANS LE BUT D'INCOR- PORER DE MANIÈRE DÉFINITIVE LES TERRITOIRES DES PLAINES DE LA PAMPA ET DE PATAGONIE À L'ARGENTINE.

PAR ESSENCE, CES GENS SONT DIFFÉRENTS DE CEUX DES VILLES. ILS CONSERVENT DES TRAITS, DES COUTUMES ET DES VALEURS SEMBLABLES À CEUX DES PIONNIERS.

LA LOGIQUE URBAINE "D'ÊTRE QUELQU'UN" EN FONCTION DE CE QUE L'ON CONSOMME ET DES BIENS MATÉRIELS QUE L'ON POSSÈDE, NE LES A PAS ENCORE TOUCHÉS.

DANS CES VILLAGES PERDUS DE LA PATAGONIE QUI SONT ANCRÉS DANS LE PASSÉ, CHACUN VAUT POUR CE QU'IL EST EN TANT QUE PERSONNE ET PAR L'HISTOIRE QUI LE PRÉCÈDE.

LES AUTRES PARTICULARITÉS QUI LES DIFFÉRENCIENT SONT LEUR PERSONNALITÉ ET UN AIR INDÉFINISSABLE QUI PEUT TRÈS BIEN LES IDENTIFIER À LA TERRE DURE ET AUSTÈRE QU'ILS HABITENT.

LA PERMANENCE AU MILIEU DE TANT DE SOLITUDE ACCENTUE LES TRAITS DE LA PERSONNALITÉ, CE QUI EST VISIBLE SUR LEUR ASPECT PHYSIQUE, LEURS HABITS ET LEUR FAÇON DE S'EXPRIMER. LEURS MOTS SONT JUSTES, MESURÉS, PRÉCIS, ET MÊME S'ILS RACONTENT DES HISTOIRES DURES, DE SACRIFICES ET DE PÉNURIES, LEURS REGARDS RESPIRENT LE CALME.

QUELQUE TEMPS APRÈS,
AVEC NATALIA JE SUIS ALLÉ VOIR
TRUDY BOHME, DESCENDANTE
DE PIONNIERS ALLEMANDS. ELLE
RÉSIDE AUX "TAMARIS", C'EST
COMME ÇA QUE SON PÈRE APPELA
LE MAGASIN QU'IL FONDA. MAIN-
TENANT IL FONCTIONNE EN TANT
QUE MAGASIN ET MUSÉE ...

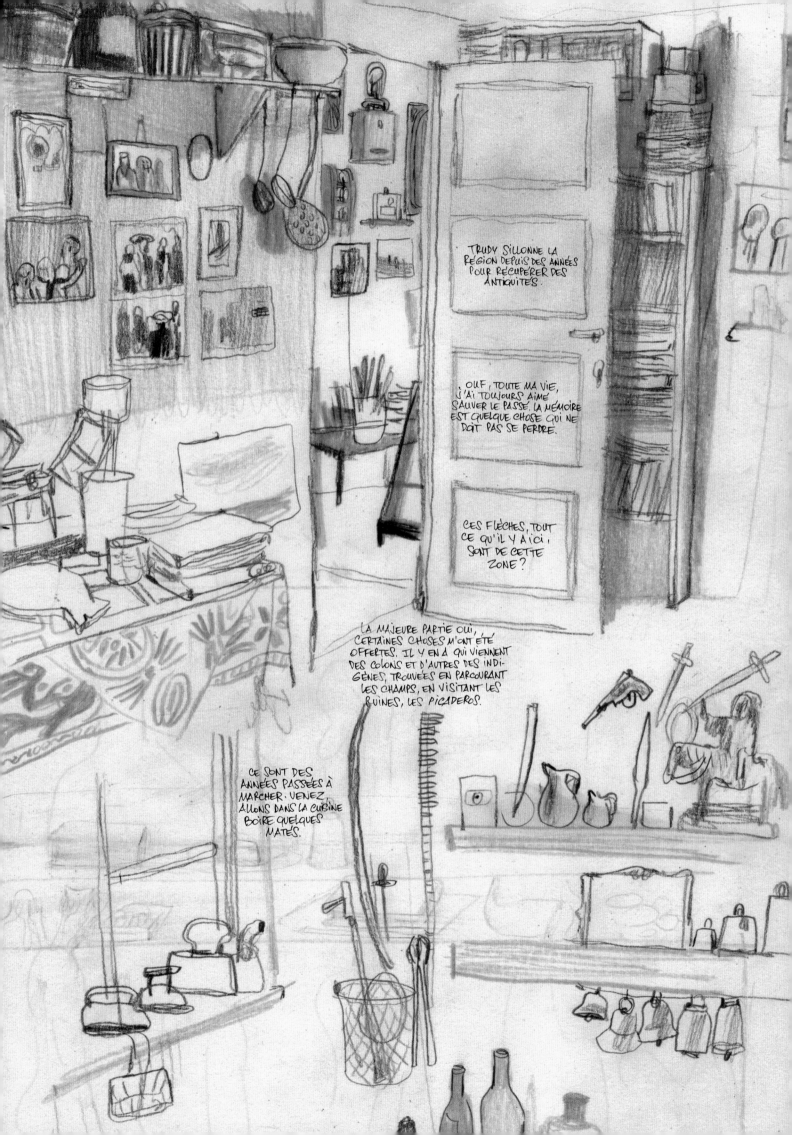

TRUDY SILLONNE LA
RÉGION DEPUIS DES ANNÉES
POUR RÉCUPÉRER DES
ANTIQUITÉS.

OUF, TOUTE MA VIE,
J'AI TOUJOURS AIMÉ
SAUVER LE PASSÉ. LA MÉMOIRE
EST QUELQUE CHOSE QUI NE
DOIT PAS SE PERDRE.

CES FLÈCHES, TOUT
CE QU'IL Y A ICI,
SONT DE CETTE
ZONE ?

LA MAJEURE PARTIE OUI,
CERTAINES CHOSES M'ONT ÉTÉ
OFFERTES. IL Y EN A QUI VIENNENT
DES COLONS ET D'AUTRES DES INDI-
GÈNES, TROUVÉES EN PARCOURANT
LES CHAMPS, EN VISITANT LES
RUINES, LES PICADEROS.

CE SONT DES
ANNÉES PASSÉES À
MARCHER. VENEZ,
ALLONS DANS LA CUISINE
BOIRE QUELQUES
MATÉS.

AUJOURD'HUI, DANS CETTE ZONE, LES INDI- GÈNES N'ONT PRESQUE PLUS DE TERRES.

PRESQUE PLUS RIEN, TOUT A ÉTÉ PRIS PAR LES COLONS. PETIT À PETIT, ILS LA LEUR ONT ENLEVÉE. ILS LEUR CONSTRUISAIENT UNE CABANE DANS LE VILLAGE ET ILS LES EMMENAIENT LÀ-BAS. LA TERRE EN ÉCHANGE DE LA NOURRITURE POUR LE MOIS.

ÇA SE VOIT QUE L'HISTOIRE PAR ICI A ÉTÉ TRÈS DURE.

IMAGINE. ILS ÉTAIENT PROPRIÉTAIRES DE TOUT, CHAQUE CLAN POSSÉDAIT UN TERRITOIRE ET ILS SE DÉPLAÇAIENT LIBREMENT, JUSQU'À CE QU'ARRIVENT LES EXPLORATEURS, PUIS L'ARMÉE AVEC LA "CONQUÊTE DU DÉSERT" ET ENFIN LES COLONS...

... PLUS TARD, LES CURÉS SONT ARRIVÉS POUR CHANGER LEURS COUTUMES EN ESSAYANT DE LEUR IMPOSER LA FOI CHRÉTIENNE, ILS LES ONT OBLIGÉS À ENVOYER LEURS ENFANTS AU COLLÈGE OÙ ILS LEUR FAISAIENT SENTIR QUE C'ÉTAIT MAL DE PARLER LEUR LANGUE, QU'ÊTRE INDIEN ÉTAIT QUELQUE CHOSE DE MAL. ET QUAND IL NE RESTAIT PLUS DE TERRES LIBRES POUR CRÉER DES ESTANCIAS, ILS ONT COMMENCÉ À PRENDRE LES LEURS. ET EN CAS DE REFUS, ON EN VOYAIT UN APPARAÎTRE FLOTTANT DANS LA RIVIÈRE SENGUER.

ILS LES TUAIENT ?

ON CONNAÎT LES CAS DE PLUSIEURS D'ENTRE EUX QUI SONT APPARUS MORTS. OÙ ILS BRÛLAIENT LEURS CAMPEMENTS POUR LES FAIRE PARTIR. LES PLUS CHARITABLES LEUR CONSTRUISAIENT UNE CABANE DANS LE VILLAGE ET LEUR DONNAIENT DE LA NOURRITURE POUR TOUT LE MOIS EN ÉCHANGE DES TERRES. AUJOURD'HUI LES FORMES ONT CHANGÉ, MAIS ÇA CONTINUE, LES ABUS SONT JUSTE DIFFÉRENTS.

OUI, DE TEMPS EN TEMPS ÇA SORT DANS LES JOURNAUX. ILS CON- TINUENT À PERDRE LEURS TERRES.

AU MOINS, AUJOURD'HUI, LEUR CULTURE REVIENT À LA VIE, PAR L'INTERMÉDIAIRE DES ASSOCIATIONS D'INDIGÈNES QUI EXISTENT DANS CHAQUE VILLE DE PATAGONIE. ILS ENSEIGNENT LEUR LANGUE, LEURS COUTUMES, ILS LUTTENT POUR RÉCUPÉRER LEURS TERRES, AU MOINS CELLES QUE L'ÉTAT ARGEN- TIN LEUR A DONNÉES.

C'EST UNE BONNE MANIÈRE DE FAIRE FACE À LA CULTURE QUI LES A ASSERVIS.

OUI, MÊME SI AUJOURD'HUI ÇA SE MÉLANGE AVEC LA POLITIQUE ET À DES POSITIONS IDÉOLOGIQUES. C'EST UNE FAÇON DE REPENSER LEUR PROPRE HISTOIRE. AUJOURD'HUI, LES MAPUCHES, QUI SONT PLUS NOMBREUX, SONT LES PLUS COMBATIFS. AUJOURD'HUI ÊTRE MAPUCHE EST PRESQUE SYNONYME D'ÊTRE INDIGÈNE, PAR OPPOSITION À LA SOCIÉTÉ OCCIDENTALE. LES MAPUCHES D'AUJOURD'HUI, SONT LES DESCENDANTS DE PLUSIEURS PEUPLES, DONT CERTAINS TEHUELCHES.

ET LES TEHUELCHES ?

LES TEHUELCHES SONT PEU NOMBREUX COMPARÉS AUX MAPUCHES ET LEUR FAÇON D'AGIR EST DIFFÉRENTE. ILS SONT PLUS RÉSERVÉS, ILS MAINTIENNENT LEUR CULTURE VIVANTE EN LA GARDANT CACHÉE. TU PEUX EN CONNAÎTRE UN DEPUIS DES ANNÉES, MAIS SI TU N'AS RIEN À VOIR AVEC SON PEUPLE, IL NE VA JAMAIS TE DIRE QU'IL EST TEHUELCHE.

C'EST VRAI...
C'EST VRAI.

CE QU'ILS ONT EN COMMUN, C'EST QU'ILS ONT SOUFFERT DES MÊMES VIOLATIONS. LA MAJORITÉ DES GENS PENSENT QUE LES TEHUELCHES N'EXISTENT PLUS DEPUIS LONGTEMPS.

C'EST QUELQUE CHOSE QUE MOI AUSSI JE CROYAIS.

PUIS NOUS SOMMES PARTIS
NOUS BALADER EN VOITURE
ET TRUDY NOUS A EMMENÉS
VOIR DES PEINTURES RUPESTRES.

NOUS SOMMES ARRIVÉS FACE À DES
ROCHERS... IL Y AVAIT DES PEINTURES
VIEILLES DE 1500 ANS. ELLES SONT
RÉCENTES, COMPARÉES À CERTAINES
QUI EXISTENT AILLEURS.

EN VOYANT ÇA, ÇA
DEVENAIT ÉVIDENT
À QUI CES TERRES
APPARTENAIENT...

... DOMMAGE QU'ON
NE SACHE PLUS
CE QU'ELLES
SIGNIFIENT.

FINALEMENT, J'AI RÉUSSI
À CONVAINCRE ISABEL ET
NOUS SOMMES PARTIS CHERCHER
LE TERRAIN OÙ ELLE AVAIT PASSÉ
SON ENFANCE. JE VOULAIS D'ABORD
PASSER CHEZ LES BOTELLO
POUR QU'ILS FASSENT
CONNAISSANCE.

T

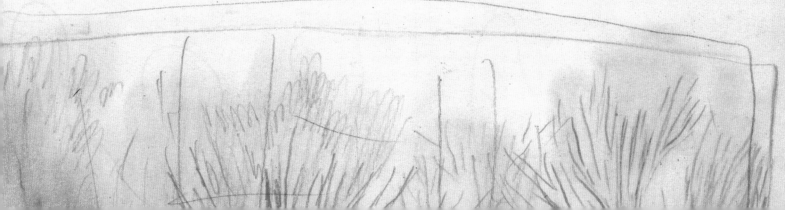

QUEL CONTRASTE Y A-T-IL ENTRE LA VISION D'UN HABITANT DE LA PATAGONIE ET CELLE D'UN ÉTRANGER PAR RAPPORT À LA PATAGONIE?

LA VISION DU PATAGON ÉLABORÉE DANS LES CHAMPS LITTÉRAIRE ET ACADÉMIQUE EST LA GRANDE ABSENTE AU NIVEAU NATIONAL. LES MAISONS D'ÉDITION DES GRANDS CENTRES URBAINS PRIVILÉGIENT LE REGARD DES CHRONIQUEURS DES SIÈCLES PASSÉS OU CELUI DES ÉTRANGERS...

... LE CONTRASTE ENTRE LES DEUX EST NOTABLE : TANDIS QUE LA VISION PATAGONIQUE NE CESSE DE SE RENOUVELER, DE S'ENRICHIR ET DE S'ACCROÎTRE À PAS DE GÉANT, LE REGARD EXTÉRIEUR SEMBLE FIGÉ SUR L'IMAGE QU'ILS ONT EUX-MÊMES CRÉÉE...

... ON DIRAIT POURTANT QUE LA PATAGONIE LEUR SERT À SE PROJETER EUX-MÊMES... ET POURTANT C'EST UNE TERRE QUI LEUR EST TOTALEMENT ÉTRANGÈRE, DIFFÉRENTE...

DANS LES PETITES VILLES DE L'INTÉRIEUR PATAGONIQUE, UN AUTRE ASPECT ALARMANT QUI MONTRE LE MANQUE DE PERSPECTIVES DES ADOLESCENTS, EST LE FORT TAUX DE SUICIDES. PEUT-ÊTRE À CAUSE DU VIOLENT CONTRASTE ENTRE L'UNIVERS DES POSSIBILITÉS DE DIVERTISSEMENT ET DE CONSOMMATION QUI LEUR PARVIENT VIA LA TÉLÉ ET L'AUSTÈRE MONDE RURAL DANS LEQUEL ILS SONT IMMERGÉS... C'EST PEUT-ÊTRE PLUS QU'ILS NE PEUVENT EN SUPPORTER...

BEAUCOUP VEULENT PARTIR DE LÀ... POUR ALLER À BUENOS AIRES, PAR EXEMPLE?

OUI, C'EST UN TRUC QUI M'ARRIVE À MOI AUSSI.

colon-

J'AI REVU TRUDY
EN 2007... NOUS SOMMES
ALLÉS DANS LA VALLÉE
DE CHOIQUENILAHUE

DANS CE SILENCE, ON DIRAIT
QUE LE PASSÉ EST VIVANT.
ON NE LE VOIT PAS MAIS ON
PEUT LE SENTIR. VISITER CES
LIEUX DÉPOUILLÉS DE GENS
EST DEVENU UN VICE POUR
MOI, UNE NÉCESSITÉ.

C'EST POUR ÇA QUE JE VIENS DE
TEMPS EN TEMPS. ON DIRAIT BIEN
QU'IL N'Y A RIEN, MAIS IL Y A DE
TOUT, IL SUFFIT DE SE LAISSER ALLER,
DE SAVOIR REGARDER. IL N'Y A PAS
DE POINT INTERMÉDIAIRE, IL FAUT
REGARDER SOIT L'HORIZON, SOIT
LE SOL.

LA MAGIE DE LA PATAGONIE
PROFONDE... IL VAUT MIEUX
QU'ELLE RESTE AINSI, SOLITAIRE.

JE SUIS BIEN
D'ACCORD.

LE PLUS IMPORTANT CE SONT LES GENS. DES GENS QUI CONSERVENT LES VIEILLES COUTUMES DU TEMPS DES COLONS... OU LES INDIGÈNES QUI SE BATTENT AU JOUR LE JOUR POUR CONSERVER LEURS COUTUMES. ILS N'ONT PRESQUE RIEN À VOIR AVEC LES GENS DES GRANDES VILLES DE LA CÔTE.

ON S'HABITUE À ÊTRE UN AUTEUR DE LA PÉRIPHÉRIE, CE QUI A SES BONS ET SES MAUVAIS CÔTÉS, COMME POUR TOUT EN TOUT CAS. RIEN N'EST COMPARABLE À LA LIBERTÉ DE FLÂNER SUR CES TERRES.

CERTAINES ANECDOTES ET CERTAINS LIEUX QUI VIVENT EN MOI NE CORRESPONDENT PAS À MON ÂGE. JE M'ASSOIS POUR DISCUTER AVEC DES ANCIENS ET NOUS PARLONS D'ÉGAL À ÉGAL D'HISTOIRES DU PASSÉ. ÉTONNÉS, ILS ME DEMANDENT : "QUEL ÂGE TU AS, TOI ?"

BON... JE REPRENDS... QUELQUE TEMPS APRÈS, NOUS SOMMES ALLÉS AVEC NATALIA À LA MAISON DES BOTELLO. J'AVAIS APPRIS QUE LES FRÈRES ÉTAIENT MORTS ET QUE LEURS TERRES ÉTAIENT ENTRE LES MAINS DE LA FILLE D'EMILIO.

COMMENT VOIS-TU AUJOURD'HUI "LA CAMPAGNE DU DÉSERT"?

SELON LES NOUVEAUX COURANTS HISTORIOGRAPHIQUES QUI ADOPTENT LA PERSPECTIVE INDIGÈNE OU QUI ESSAIENT DE CHERCHER UN COMPROMIS ENTRE LE DISCOURS DES VAINQUEURS ET LA PERSPECTIVE DES VAINCUS DÉPOUILLÉS DE LEURS TERRES, LE TITRE "CONQUÊTE DU DÉSERT" DEVRAIT ÊTRE COMPRIS COMME LA "GUERRE POUR LA DOMINATION DE LA PAMPA ET DE LA PATAGONIE" PUISQUE CES TERRITOIRES N'ÉTAIENT PAS VIDES, COMME VOUDRAIT BIEN LE FAIRE CROIRE LE MOT "DÉSERT"...

...CE NOUVEAU COURANT ABORDE DONC LA PATAGONIE COMME UN TERRITOIRE QUI HÉBERGEAIT DE NOMBREUSES NATIONS INDIGÈNES, TANT CELUI CONQUIS PAR L'ARGENTINE QUE PAR LE CHILI. JUSQU'AU MILIEU DE LA DÉCENNIE DE 1880, LA PATAGONIE POUVAIT ÊTRE CONSIDÉRÉE COMME UN ESPACE AUTONOME...

ET OÙ EN EST AUJOURD'HUI LA LUTTE DES "PEUPLES ORIGINAIRES"?

CELA FAIT MAINTENANT PLUSIEURS ANNÉES QU'ILS SONT EN PLEINE REVITALISATION DE LEUR CULTURE ET QU'ILS TRAVAILLENT LES INTERACTIONS AVEC LE GOUVERNEMENT NATIONAL POUR NE PAS S'ISOLER.

LA PRÉSENCE ACTUELLE DES PEUPLES INDIGÈNES SE COMPREND À PARTIR DE L'HYBRIDATION, DE L'INSTABILITÉ ET DE L'ÉMERGENCE DE FORMES CRÉATIVES, EN TENSION AVEC LA CONTINUITÉ DES PROCESSUS HISTORIQUES...

...TANDIS QUE LA SOCIÉTÉ OCCIDENTALE BASE SON IDENTITÉ EN SE PROJETANT DANS LE FUTUR, LES IDENTITÉS ETHNIQUES LE FONT EN S'ORIENTANT VERS LE PASSÉ. SELON LE SOCIOLOGUE ARGENTIN ERNESTO LACLAU, ACTUELLEMENT L'HYBRIDATION EST LE TERRAIN SUR LEQUEL SE CONSTRUISENT LES IDENTITÉS POLITIQUES, UNE CARACTÉRISTIQUE DANS LAQUELLE ENTRENT LES RÉCLAMATIONS DES PEUPLES ORIGINAIRES...

... DES QUESTIONS COMME LES REVENDICATIONS HISTORIQUES, LES RÉCLAMATIONS TERRITORIALES, LES PRÉJUGÉS RACIAUX, LES LONGUES LUTTES POUR ÊTRE RECONNU OU LES LUTTES DE POUVOIR, ONT ÉMERGÉ.

ILS ONT ADOPTÉ LES NOUVELLES TECHNOLOGIES POUR FAIRE ENTENDRE LEUR VOIX. IL NE S'AGIT PLUS D'ÊTRE TEL OU TEL PEUPLE, MAIS DE SE POSITIONNER ET SE PRÉSERVER EN TANT QUE PEUPLES ORIGINAIRES.

AVEC TOUT CE QUE TU M'AS RACONTÉ, C'EST PLUS QUE SUFFISANT. J'AI DE QUOI ÉCRIRE.

À BIENTÔT, ALEJANDRO... MERCI BEAUCOUP POUR TA DISPONIBILITÉ. JE T'AVERTIRAI QUAND L'ARTICLE SERA PUBLIÉ.

MAIS, C'EST MOI QUI TE REMERCIE...

JE VAIS AU SALON... TU VIENS?

NON, JE RESTE ENCORE UN MOMENT, UN AMI DESSINATEUR DOIT VENIR ...

CIAO, BONNE CHANCE.

CIAO.

ALEJANDRO !...
ÇA FAISAIT UN
BAIL !

ÇA VA,
JORGE ?

C'EST SUPER QU'ON AIT
PU SE VOIR SUR BUENOS
AIRES... TU ES LÀ POUR
COMBIEN DE TEMPS ?

ÉCOUTE ... JE SUIS À
FOND DANS TON DERNIER
LIVRE ET IL CORRESPOND
PARFAITEMENT À L'HISTOIRE
QUE JE PRÉPARE SUR
LA PATAGONIE.

JE COMPTE SUR
TOI POUR
PARTICIPER ?

DIX JOURS, À PEU PRÈS...
MA FEMME EST ENCEINTE DE
CINQ MOIS ET C'EST MA
DERNIÈRE ESCAPADE AVANT
QUE NAISSE MATÉO.

MATÉO... ESPÉRONS
QU'IL TE LAISSE DORMIR
LES PREMIERS MOIS.

BIEN SÛR... QU'EST-
CE QUE TU CROIS ! ...
TOUT CE QUE TU VEUX.

MARCHÉ CONCLU...
C'EST PARTI.

HA, HA...
J'ESPÈRE...

GLOSSAIRE

Asado : Cette célèbre tradition culinaire argentine est un menu de différentes viandes qui cuisent lentement sur des braises.

Cacique : désigne le chef de tribu d'un peuple originaire. Le mot provient du peuple taina des Antilles et fut propagé erronément par les conquistadors espagnols pour désigner le chef de n'importe quel peuple.

Camaruco : désigne une cérémonie religieuse tehuelche qui avait lieu au début de l'automne et durait huit jours complets.

Chenques : désigne un type de tombe précolombienne de Patagonie, consistant à recouvrir d'un tas de pierres le corps posé à même le sol.

Estancia/Estanciero : L'*estancia*, dirigée par un *estanciero*, est une exploitation agricole aux dimensions très différentes de ce que l'on connaît en Europe. Les exploitations de Patagonie notamment, s'étendent souvent sur des dizaines, voire des centaines de milliers d'hectares.

Genièvre : Le genièvre est un alcool de Belgique et des Pays-Bas à base d'orge et de seigle fermentés, aromatisé de baies de genièvre. Cet alcool fort était très populaire en Argentine au XIXe et au début du XXe siècle.

Guanaco : Le guanaco est un animal de la famille des lamas qui proliférait sur l'ensemble du territoire argentin mais qui, à la différence du lama, n'a jamais été domestiqué.

Mapuche : Les Mapuches sont un peuple originaire du Sud du Chili qui a envahi la Patagonie argentine aux XVIe et XVIIe siècles et exerça une puissante influence sur les Tehuelches.

Mapudungun : C'est la langue parlée par les Mapuches.

Picadero : désigne le lieu où l'on taillait les pierres pour en faire des pointes de flèches, des couteaux, des grattoirs, etc.

Quillango : À la fois manteau et couverture en peau de guanaco ou de vigogne, utilisé pour se protéger du froid.

Revue *Patoruzú* : Revue de bande dessinée très populaire en Argentine créée par Dante Quinterno et dont les personnages ont inspiré Goscinny pour créer Astérix et Obélix.

Tanguero : Le *tanguero* est bien entendu l'amateur de tango, ce qui était aussi un véritable style vestimentaire à l'âge d'or du tango, dans les années trente et quarante.

Tehuelche : Les Tehuelches désignent un ensemble d'ethnies partageant de nombreux traits culturels, qui ont habité la pampa et la Patagonie argentine.

Tolderías : La *tolderia* était un campement typique des peuples originaires nomades en Argentine, constitué d'un groupement de *toldos*, des sortes de tentes précaires faites de branches et de peaux (différentes des *tipis* amérindiens).

Yamanas : Les Yamanas ou Yagans étaient l'un des peuples originaires installé en Terre de Feu, territoire qu'ils partageaient avec les Onas, aussi appelés Selknam.

Villa 31 : Une *villa* ou *villa miseria* est l'équivalent argentin de la *favela* brésilienne. La Villa 31 est une des plus étendues, en plein centre de Buenos Aires.

PRÉCISIONS HISTORIQUES

Une des richesses de ce livre est la relation subtile mais permanente qu'il entretient avec l'histoire de la Patagonie et de l'Argentine. Ce substrat qui affleure fréquemment dans le récit est assez facile à saisir pour un Argentin, mais plus difficile pour un lecteur qui ne connaît pas l'histoire de ce pays. Pour vous aider à mieux comprendre certains détails du récit, voici quelques précisions historiques et leurs références dans le livre de Jorge Gonzalez.

Chapitre Vent et Brebis, p. 7 à 22 :
Le génocide des habitants naturels de la Terre de Feu

Ce chapitre évoque le sort qui fut réservé aux premiers habitants de la Terre de Feu : les Yamanas et les Onas. Poursuivis et chassés par des mercenaires au service des propriétaires terriens anglais, ils étaient abattus par ces "chasseurs" qui étaient rémunérés en fonction du nombre de testicules, de seins (une livre) ou de paires d'oreilles (une demi-livre) qu'ils rapportaient. Regroupés autour de la Première Mission anglicane établie en 1869 à Ushuaia et de la Mission des salésiens arrivée en 1888 à l'Île Dawson, ils y contractèrent des maladies venues d'Europe : rougeole, pneumonie et tuberculose.
Leur sort peu enviable représentait pourtant un grand intérêt scientifique pour les ethnologues européens et économique pour des promoteurs de spectacles qui s'intéressaient aux indigènes de la Terre de Feu. Des familles entières furent ainsi exhibées publiquement, montrées en spectacle, notamment lors de l'Exposition universelle de Paris de 1889.

Chapitre Trou Guanaco, p. 51 à 62 :
La Patagonie rebelle ou Patagonie tragique

Le récit de cet ouvrier rural retrace de son point de vue des événements tragiques de l'histoire du mouvement anarchiste en Argentine.
En 1920-1921, les travailleurs ruraux anarcho-syndicalistes de la province de Santa Cruz en Patagonie, décidèrent de faire grève pour protester contre les conditions d'exploitations des *estancieros*, en général anglais. Face à la répression des milices patronales et de la police, les grévistes attaquèrent plusieurs estancias et prirent les armes. En janvier 1921, le lieutenant-colonel Varela fut envoyé par le président Hipolito Yrigoyen pour en finir avec ce soulèvement. Après une année de trêves, de poursuites et d'escarmouches, le solde final de la répression s'éleva à 1500 grévistes fusillés.

Cette tragédie trouvera un écho un demi-siècle plus tard.

Chapitre Rolando Rivas, chauffeur de taxi, p. 119 à 148 :
Le massacre de Trelew

La jeune femme qui raconte son histoire, ou plutôt l'histoire de son "amie" à Julian Blummer, est une victime de l'histoire politique argentine. Et lorsque Julian lui dit que cela a dû être "mouvementé à cause des guérilleros", il fait bien entendu référence au contexte de cette année-là. En 1973, l'Argentine est encore une fois soumise à la dictature, depuis 1971 sous la férule d'Alejandro Agustin Lanusse. Le parti péroniste est proscrit et de nombreux militants péronistes ou révolutionnaires sont emprisonnés. Pour les éloigner de Buenos Aires, un grand nombre d'entre eux sont détenus à Rawson, en Patagonie. Le 15 août 1972, ils tentent une évasion massive qui devait libérer cent dix prisonniers politiques. Seuls six d'entre eux réussissent à rallier le Chili tandis que dix-neuf autres parviennent à l'aéroport. Ces dix-neuf fugitifs négocient leur reddition devant les médias et demandent la présence d'avocats. Ils sont finalement transférés dans une base de la marine près de Trelew. Le 22 août, après une semaine de tension et de blackout médiatique, le gouvernement militaire décide de les faire fusiller. Selon la version officielle diffusée par le pouvoir, les détenus avaient réalisé une nouvelle tentative de fuite, ce qui autorisait donc le tir à vue dans le cadre de la Loi de Fuite (dont parle la jeune femme).

Ce massacre n'était qu'un avant-goût de la répression systématique qui allait être déclenchée par la dictature de la junte militaire en 1976.

Chapitre Dear Patagonia, p. 167 à 202 :
Les terres de Benetton et le conflit Mapuche

Lorsque Cuyul prépare son départ pour tenter de survivre seul en milieu naturel, Julian Blummer lui conseille de partir armé, car il va pénétrer sur "les terres de Benetton". Benetton est en effet un des exemples les plus symboliques de l'expropriation des terres Mapuches au profit de puissants investisseurs étrangers. Les superficies que possèdent Benetton, Rupert Murdoch ou Joe Lewis sont tout simplement inimaginables en Europe (pas moins de 900 000 hectares pour Benetton). Toute une culture originaire est ainsi bafouée par ces immenses propriétés qui découpent ces grands espaces en clôturant l'accès aux montagnes, aux ruisseaux et à toutes les ressources naturelles. Ressources que ces peuples transhumants utilisent depuis des milliers d'années tout en respectant la nature qui les entoure.

Les Mapuches, qui ont su faire reconnaître leur préexistence à l'État argentin, ont lancé plusieurs procès contre Benetton qui refuse de reconnaître leurs droits. Ils recourent donc à des "récupérations de territoire" qu'ils occupent pour faire valoir leurs droits. C'est ce que découvre Cuyul lorsque ses pas le conduisent vers le "Territorio Mapuche Recuperado".

Pour en savoir plus sur ce conflit toujours d'actualité, vous pouvez lire la fiche très intéressante sur l'histoire du conflit de la Communauté mapuche de Santa Rosa sur le site d-p-h. :
http://base.d-p-h.info/fr/fiches/dph/fiche-dph-7742.html.

Ou tout simplement visiter le site officiel de la nation mapuche :
http://www.mapuche-nation.org/francais/Accueil.htm

Enfin, si vous lisez l'espagnol, voyez les dernières nouvelles du Territoire mapuche récupéré de Santa Rosa :
http://www.santarosarecuperada.com.ar/bitacora/.

Cet ouvrage bénéficie d'un tirage de tête numéroté
de 1 à 777 exemplaires.
Il est enrichi d'un dessin inédit imprimé sur papier
Modigliani 260 g, signé par l'auteur.

D/2012/0089/282
ISBN 978-2-8001-5614-9

AIRE LIBRE
www.airelibre.dupuis.com

Maquette : Philippe Ghielmetti (illusions)

D/2012/0089/281
ISBN 978-2-8001-5613-2
ISSN 0774-5702
© Dupuis, 2012.
Tous droits réservés.
Imprimé par Stige en Italie.

Certifié PEFC
Ce produit est issu
de forêts gérées
durablement, de
sources recyclées
et contrôlées.
PEFC
18-31-107   www.pefc-france.org

DALIM
SOFTWARE
Powered by